NEW

서울대 선정 인문고전 60선

01

마키아벨리 군주론

NEW 서울대 선정 인문 고전 ❶
만화 마키아벨리 **군주론**

개정 1판 1쇄 발행 | 2019. 8. 21
개정 1판 5쇄 발행 | 2025. 1. 11

손영운 글 | 동방광석 그림 | 손영운 기획

발행처 김영사 | 발행인 박강휘
등록번호 제 406-2003-036호 | 등록일자 1979. 5. 17.
주소 경기도 파주시 문발로 197 (우10881)
전화 마케팅부 031-955-3100 | 편집부 031-955-3113~20 | 팩스 031-955-3111

값은 표지에 있습니다.
ISBN 978-89-349-9426-8
ISBN 978-89-349-9425-1(세트)

좋은 독자가 좋은 책을 만듭니다. 김영사는 독자 여러분의 의견에 항상 귀 기울이고 있습니다.
전자우편 book@gimmyoung.com | 홈페이지 www.gimmyoung.com

이 도서의 국립중앙도서관 출판예정도서목록(CIP)은 서지정보유통지원시스템 홈페이지(http://seoji.nl.go.kr)와
국가자료종합목록시스템(http://www.nl.go.kr/kolisnet)에서 이용하실 수 있습니다. (CIP제어번호 : CIP2018042452)

|어린이제품 안전특별법에 의한 표시사항| **제품명** 도서 **제조년월일** 2025년 1월 11일
제조사명 김영사 **주소** 10881 경기도 파주시 문발로 197 **전화번호** 031-955-3100 **제조국명** 대한민국
사용 연령 10세 이상 ⚠**주의** 책 모서리에 찍히거나 책장에 베이지 않게 조심하세요.

미래의 글로벌 리더들이 꼭 읽어야 할 인문고전을 만화로 만나다

NEW
서울대 선정
인문고전
60선
01
마키아벨리 군주론
손영운 글 · 동방광석 그림

주니어김영사

| 기획에 부쳐 |

〈NEW 서울대 선정 인문고전60〉이 국민 만화책이 되기를 바라며

제가 대여섯 살 때 동네 골목 어귀에 어린이들에게 만화책을 빌려주는 좌판 만화 대여소가 있었습니다. 땅바닥에 두터운 검정 비닐을 깔고 그 위에 아이들이 좋아하는 만화책을 늘어놓았는데, 1원을 내면 낡은 만화책 한 권을 빌릴 수 있었지요. 저는 그곳에서 만화책을 보면서 한글을 깨쳤고 책과의 인연을 맺었습니다.

초등학교 때는 용돈을 아껴서 책을 사서 읽었고, 중학교 때는 학교 도서 반장을 맡아 도서관에서 매일 밤 10시까지 있으면서 참 많은 책을 읽었습니다. 그 무렵 헤밍웨이의 《노인과 바다》를 손에 땀을 쥐며 읽으면서 인생에 대해 고민했고, 헤르만 헤세의 《수레바퀴 아래서》를 읽으며 사춘기의 심란한 마음을 달랬습니다. 김래성의 《청춘 극장》을 밤새워 읽는 바람에 다음 날 치르는 중간고사를 망치기도 했습니다.

당시 저의 꿈은 아주 큰 도서관을 운영하는 사람이 되어 온종일 책을 보면서 책을 쓰는 작가가 되는 것이었습니다. 나이가 들고 어느 정도 바라는 꿈을 이루었습니다. 큰 도서관은 아니지만 적당한 크기의 서점을 운영하고, 글을 쓰는 작가가 되었거든요. 저는 여기에 새로운 꿈을 하나 더 보탰습니다. 그것은 즐거운 마음과 힘찬 꿈을 가지게 해 주고, 나아가 자기 성찰을 도와주는 좋은 만화책을 만드는 일이었습니다. 이렇게 해서 만든 책이 바로 〈서울대 선정 인문고전〉입니다. 서울대학교 교수님들이 신입생과 청소년들이 꼭 읽어야 할 책으로 추천한 도서들 중에서 따로 60권을 골라 만화로 만든 것입니다. 인류 지성사의 금자탑이라고 할 수 있는 고전을 보기 편하고 이해하기 쉽도록 만화책으로 만드는 일은 쉬운 일은 아니었습니다. 약 4년 동안에 수십 명의 학교 선생님들과 전공 학자들이 원서의 내용을 정확하게 전달할 수 있도록 밑글을 쓰고, 수십 명의 만화가들이 고민에 고민을 거듭하면서 만화를 그려 60권의 책을 만들었습니다.

〈서울대 선정 인문고전〉이 완간되었을 무렵에 우리나라에 인문학 읽기 열풍이 불기 시작했습니다. 〈서울대 선정 인문고전〉은 인문학 열풍을 널리 퍼뜨리는 데 한몫을 하면서 독자들의 뜨거운 사랑과 관심을 받았습니다. 덕분에 지금까지 수백만 권이 팔리는 베스트셀러가 되었습니다. 그 사랑에 조금이나마 보답을 하기 위해 《칸트의 실천이성 비판》, 《미셸 푸코의 지식의 고고학》, 《이이의 성학집요》 등 우리가 꼭 읽어야 할 동서양의 고전 10권을 추가하여 만화로 만들었습니다.

〈서울대 선정 인문고전〉은 어린이와 청소년이 부모님과 함께 봐도 좋을 만화책입니다. 국민 배우, 국민 가수가 있듯이 〈서울대 선정 인문고전〉이 '국민 만화책'이 되길 큰마음으로 바랍니다.

손영운

시대를 넘어선 현자(賢者)의 지혜가 담긴 《군주론》

중국 사람들에게 중국 역사에서 가장 큰 영향을 미친 인물이 누구인가? 하고 질문하면 진시황제를 으뜸으로 칩니다. 진시황제가 중국을 하나의 국가로 통일시키지 않았다면 중국은 유럽처럼 여러 작은 나라로 나뉜 채 발전을 했을 겁니다. 진시황제가 있어 오늘날의 거대한 중국이 있을 수 있었다고 해도 과언이 아니고, 중국 사람들 역시 그런 이유로 추앙하는 것입니다.

그런데 진시황제는 공자나 맹자와 같은 성인도 아니었을 뿐만 아니라, 삼황오제와 같은 성군(聖君)은 더더욱 아니었습니다. 그는 최고 권력자가 되기 위해 자기의 측근들을 냉혹하게 제거했고 그 권력을 유지하기 위해 분서갱유(焚書坑儒)* 등을 통해 수많은 사람들의 목숨을 빼앗았습니다. 이렇게 잔인하고 포악한 진시황제를 왜 중국 사람들은 높이 평가할까요? 그것은 그가 보통 사람이 아니라 제국을 책임지고 경영한 황제이기 때문입니다.

마키아벨리가 쓴 《군주론》은 바로 진시황제와 같은 지도자를 위한 책입니다. 그래서 일반인들의 입장에서 보면 비양심적이고 부도덕한 가치를 높이 평가하는 책으로 오해하기 쉽습니다. 예를 들어 '현명한 군주는 신의를 지키는 것이 자신의 이익과 배치되거나 혹은 약속할 당시의 동기나 이유가 그 의미를 상실했을 경우에는 신의를 지킬 수도 없으며, 또 지켜서도 안 된다.' 또는 '군주는 나라를 지키려면 때로는 배신도 해야 하고, 때로는 잔인해져야 한다.'는 말은 보통 사람들의 입장에서는 받아들이기 어렵겠지요? 때문에 《군주론》은 로마 교황청으로부터 금서로 지정받았고, 오랜 세월 동안 사람들이 읽으면 안 되는 나쁜 책

으로 취급되었습니다.

그런데 《군주론》은 책이 나온 당시는 물론 약 500년이란 세월이 흐른 오늘날에도 여전히 전 세계인들로부터 뜨거운 사랑을 받고 있습니다. 우리나라에서도 《군주론》과 마키아벨리에 관련된 책이 매년 꾸준히 출간되고 있습니다. 왜일까요? 그것은 《군주론》에 시대를 앞선 마키아벨리의 지혜가 담겨 있기 때문입니다. 《군주론》을 읽으면 인간의 본능에 대한 솔직한 탐구, 지도자가 갖추어야 할 냉정하고 현실적인 판단력, 외침으로부터 나라를 지키기 위해 갖추어야 할 대책들을 배울 수 있습니다.

내일의 지도자를 꿈꾸는 이들이라면 《군주론》은 반드시 읽어야 할 고전임이 틀림없습니다. 그 안에는 수단방법을 가리지 않고 목적만을 향하는 냉혹함만 담겨 있는 것이 아니라 냉철한 현실 파악과 그것을 토대로 한 세상을 사는 지혜가 담겨 있기 때문입니다. 하지만 어린 친구들이 원본 《군주론》을 읽기는 어려울 것입니다. 만화 《마키아벨리 군주론》은 《군주론》의 정수를 뽑아 해설하고 주석을 달아 쉽고도 재미있게, 그러나 원서의 핵심을 놓치지 않도록 만들었습니다. 만화 《마키아벨리 군주론》을 읽은 우리 독자들 중에서 강력한 대한민국을 만들 지도자가 나왔으면 좋겠습니다.

손영운

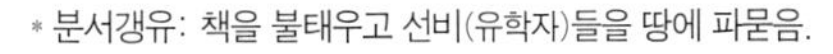
* 분서갱유: 책을 불태우고 선비(유학자)들을 땅에 파묻음.

마키아벨리에게 있어 좋은 군주란?

마키아벨리는 르네상스 시대 이탈리아의 도시 국가 중 하나인 피렌체 사람으로 정부의 외교관이자 행정 관리였습니다. 그 시대 이탈리아는 피렌체를 비롯해, 밀라노, 베네체아 등 여러 도시 국가들이 있어 영토를 확장하기 위해 서로 전쟁을 벌였습니다. 게다가 밖으로는 프랑스, 에스파냐 등 외국의 강대국들이 혼란스런 이탈리아를 노리고 호시탐탐 쳐들어오기도 하는, 아주 위험하고 불안정한 시대였습니다. 마키아벨리는 이런 위험한 시대에 이탈리아를 안전하게 지키고 도시 국가를 하나로 통일할 강력한 군주가 나타나길 바라는 사람이었습니다. 그리고 그런 마음으로 쓴 책이 바로 《군주론》입니다.

여러분이 생각하는 군주는 어떤 모습인가요? 아마도 영화에서처럼 웅대한 성과 넓은 영토 그리고 많은 신하를 거느린 그런 왕의 모습이겠죠? 또 한 번쯤은 자신이 화려한 보석이 박힌 왕관을 쓰고서 신하들을 호령하는 왕이 되는 재미있는 상상을 해 본 적 있지 않나요? 물론 그런 왕들도 있었겠지만 마키아벨리가 살았던 시대의 왕들은 그런 면만 있지는 않았나 봅니다. 어느 순간 쫓겨나기도 하고 이웃 나라의 침략에 시달려야 했으며 원하지 않는 결혼을 하기도 해야 했으니까요.

여러분이 군주가 된다면 과연 어떤 군주가 되고 싶은가요?

지금부터 《마키아벨리 군주론》에서 얘기하는 마키아벨리의 '군주론'은 여러분의 생각과 같을 수도 있지만 어쩌면 전혀 반대라 당혹스러울 수도 있을 것입니다. 마키아벨리가 생각하는 '좋은' 군주란 나라와 영토를 외부의 침략으로부터 안전하게 지키고 백성들을 부유

하게 살게 하고 나라를 평화롭게 이끌어 나가며 나아가 이탈리아를 통일해 오래도록 평화와 번영을 구가하게 만들 수 있는 그런 군주였습니다. 여기까지 보면 마치 공자나 맹자가 얘기한 덕(德)으로 다스리는 왕과 같습니다. 우리들이 이상적으로 생각하는 군주이기도 하죠.

하지만 마키아벨리는 그런 목적을 이루기 위해 군주는 오직 이익이 되는 방향으로 움직여야 한다고 주장하고 있습니다. 때로는 약속을 헌신짝 버리듯 버려야 하고, 신하를 믿지 말아야 하고 음모와 권모술수도 서슴지 않고 사용해야 한다고 말합니다. 그래서 마키아벨리즘을 목적을 위해서는 수단과 방법을 가리지 않는 비열한 목적 지상주의, 국가 지상주의라고 말하기도 합니다. 만일 현실 사회에서 마키아벨리즘을 사용한다면 사회는 곁에 있는 사람조차 믿을 수 없는 배신과 사기, 거짓이 판치는 곳이 될 것입니다. 그러나 마키아벨리 본인은 매우 정직할 뿐더러 충성심이 강한 외골수 같은 사람이었다고 합니다. 다만 그가 살았던 과거 이탈리아의 혼란과 백성의 고난을 생각한다면 이러한 극단적인 생각도 어느 정도는 이해할 수 있을 것입니다.

이 책을 읽으시면서 책 속의 많은 군주들도 만나 보고, 그들의 나쁜 점과 좋은 점을 보면서 모쪼록 여러분의 훌륭한 지식으로 만들었으면 좋겠습니다. 세상에 정보와 지식이 넘쳐나도 스스로 옥석을 가려 선택하고 판단하여 자기 것으로 삼지 않는 한 불필요한 지식일 테니까요.

동방광석

| 차례 |

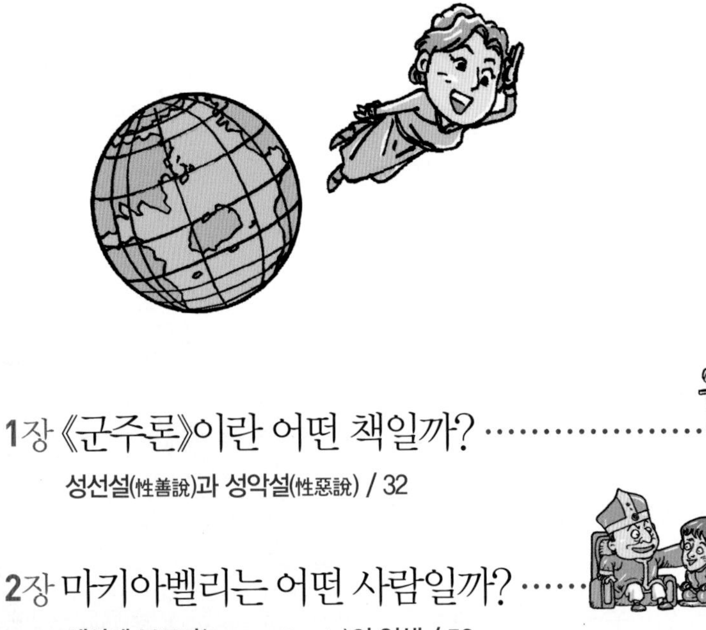

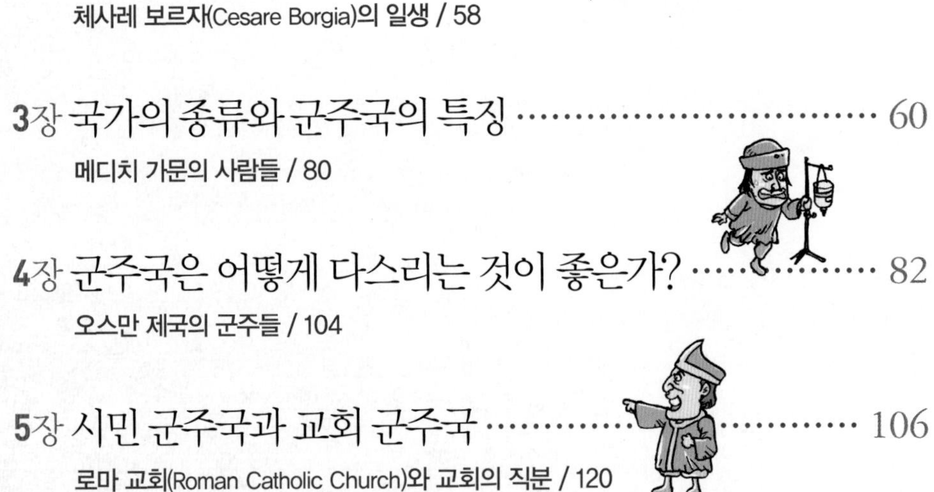

신하
신하
신하
신하
명성

군주국

1장 《군주론》이란 어떤 책일까?

프랑스
스페인
이탈리아

옛날 중국의 춘추전국시대(春秋戰國時代)에 위(魏)나라가 있었어.

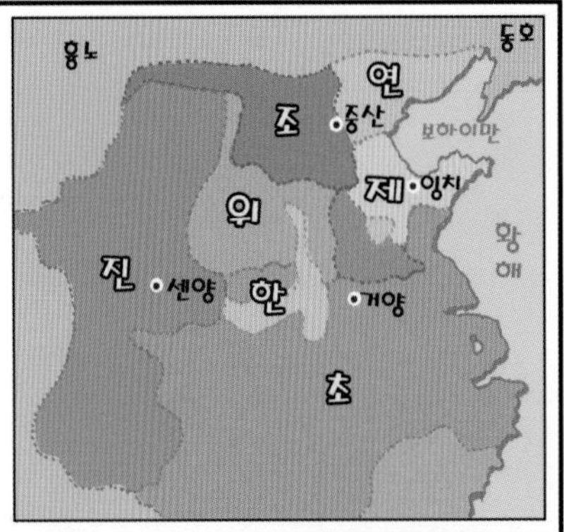
흉노
동호
연
조
중산
보하이만
위
제
임치
황해
진
셴양
한
거양
초

위나라의 3대 군주는 혜왕(惠王, 기원전 400년 ~ 기원전 319년)이었는데, 위나라의 수도가 '양(梁)'이라는 곳에 있어서 양혜왕이라 불렸지.

양

당시 맹자가 제후들의 나라를 돌아다니며 가르침을 베풀고 있었어.

맹자의 명성을 들은 양혜왕이 맹자에게 가르침을 구했지.

노인께서 천 리 길을 멀다 하지 않고 위나라에 오셨는데, 장차 이 나라를 이롭게 하실 방도가 있으신지요?

왕께서는 어찌 이로움만을 말씀하십니까? 오직 인의(仁義)가 있을 뿐입니다.*

왕께서 '어떻게 하면 내 나라를 이롭게 할 수 있을까?'하고 생각하시면, 벼슬아치들은 '어떻게 하면 내 집안을 이롭게 할까?'하고 생각하게 됩니다.

* 王何必曰利 亦有仁義而已矣.

그리고 백성들은 모두 '어떻게 하면 내 몸만을 이롭게 할까?'하고 생각하게 될 것입니다. 이처럼 서로 자기의 이익만을 취하면 나라가 위태로워집니다.

끄덕
끄덕

만일 의로움을 뒤로 하고, 이익만을 따진다면 빼앗지 아니하고서는 만족해하지 않을 겁니다.

어진 사람 중에서 그 어버이를 버리는 자는 없으며, 의로운 자 중에서 그 군주를 뒤로 하는 자는 없습니다.

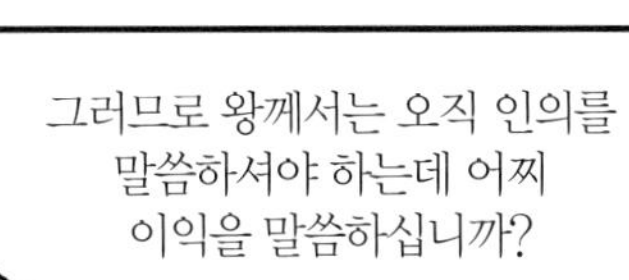
그러므로 왕께서는 오직 인의를 말씀하셔야 하는데 어찌 이익을 말씀하십니까?

선생님, 부끄럽습니다. 앞으로는 이익보다는 인의를 먼저 생각하겠습니다.

이것은 맹자가 양혜왕에게 올바른 정치를 펴라는 가르침을 주는 장면으로, 맹자의 제자들이 쓴 《맹자(孟子)》의 양혜왕 편에 나오는 내용이야.

양혜왕편

《맹자》는 사서오경 중의 한 권으로 인의의 정치를 강조한 정치사상 교과서라고 할 수 있어.

논어
맹자
중용
대학
주역
예기
춘추

중국이나 우리나라처럼 유교권에 속하는 나라의 정치가들은 맹자와 같은 성인들의 가르침을 좇아 정치를 하려고 애썼고,

유교권
중국
한국

그러한 정치가들을 백성들은 높이 우러러 봤어.

전하, 인과 의로 백성들을 살피시니 성군이시옵니다.
전하, 성은이 망극하옵나이다.

이러한 가르침 때문에 우리는 인자한 마음과 정의로운 법으로 나라를 다스려야 제대로 된 지도자라고 생각해.

잔인한 마음과 정의롭지 못한 방법으로 나라를 다스리는 이들은 폭군이라 여기며 경시하지.

사람들은 제 아무리 똑똑하고, 의지가 굳고, 전쟁을 잘하는 지도자라도,

그의 인간됨이 잔인하고, 정의롭지 못하면 좋은 지도자로 인정하질 않아.

대표적인 사람이 《삼국지연의》의 주인공 조조야. 조조는 난세의 영웅이라는 이름을 얻을 정도로 뛰어난 인물이야.

하지만 작가나 독자들에게 조조는 비호감이야.

상품No1

왜냐하면 그는 자신이 원하는 것을 얻기 위해 수단과 방법을 가리지 않았거든.

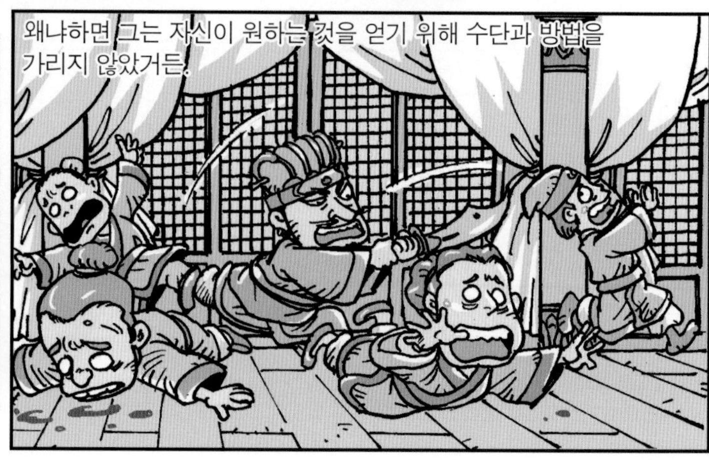

반면에 유비는 달라. 사람들은 그에게 호감을 가졌어.

그가 비록 우유부단하고 제갈공명이나 관우, 장비와 같은 신하들의 도움으로 겨우 나라를 세운 인물이지만, 백성들을 따뜻한 마음으로 다스렸거든.

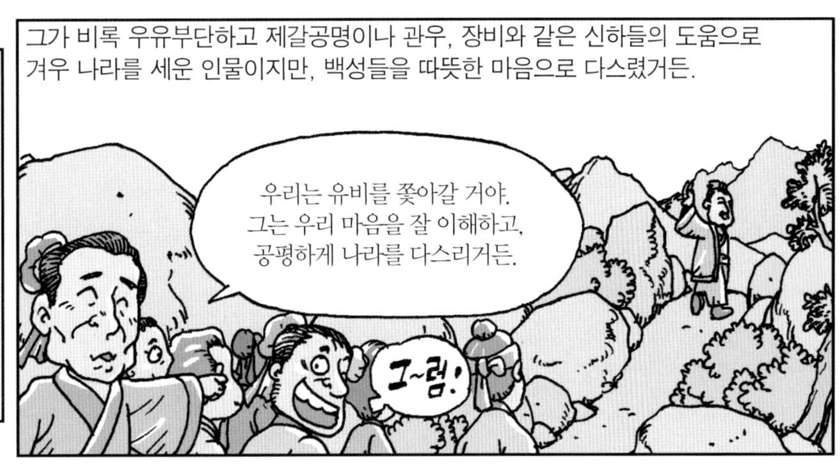
우리는 유비를 쫓아갈 거야. 그는 우리 마음을 잘 이해하고, 공평하게 나라를 다스리거든.
그~럼!

그러나 결과적으로 보면 유비는 실패한 지도자야. 천하 통일에 실패했고, 그가 세운 촉나라도 오래 가질 못했지.

반면에 조조는 혼란한 시대를 평정하여 천하 통일의 초석을 닦았고, 그가 세운 나라를 통해 천하 통일의 위업을 달성했어.

《삼국지연의》에서 실질적인 승리자는 조조야.

유비는 실패자야.

천하 통일

역사

역사

그러나 후세의 사람들은 여전히 유비와 같은 지도자를 원해.

유비가 비록 천하 통일을 이루어 혼란한 시대에 질서를 부여하지는 못했으나

천하통일
질서

인과 의로써 나라를 다스리고, 백성들을 대했기 때문이야.

사람들이 이런 마음가짐을 가지게 된 것은

의
인
인

《맹자》 등의 사서오경을 통한 성현들의 가르침이 우리의 마음과 머리에 뿌리 깊게 박혀 있기 때문이지.

사서오경

그런데 사서오경의 가르침과는 전혀 반대의 가르침을 군주들에게 전하고자 만든 책이 있어.

16세기에 이탈리아에서 나온 《군주론》이라는 책이야.

책의 내용을 보면 맹자의 가르침과는 전혀 딴판이야.

너무 달라서 우리가 보면 가치관에 혼란이 생길 정도야. 예를 들어 볼까?

16세기
군주론
이탈리아
달라도
너무 달라.
군주론
맹자

어떤 것이 옳은 건지
판단이 안 서네.
맹자
군주론

'현명한 군주는 신의를 지키는 것이 자신의 이익과 배치되거나 혹은 약속할 당시의 동기나 이유가 그 의미를 상실했을 경우에는 신의를 지킬 수 없으며, 또 지켜서도 안 된다.'
(《군주론》 제18장 내용 중)

군주론 제18장

어때? 놀랍지? 현명한 군주가 되려면 자신의 이익과 반대되는 일은 약속을 지켜서는 안 된다니.

무슨 저런 말이
다 있어. 보통 사람도
아닌 군주에게 약속을
헌신짝처럼 팽개치라고
가르치다니. 쯧쯧.
휙
군주론

'군주는 대단한 거짓말쟁이인 동시에 위선자가 되어야 한다.'
(《군주론》 제18장 내용 중)

《군주론》에는 거짓말이나 위선을 떨라는 이야기 외에도 더 험한 이야기도 있어.

더 이상 볼
가치도 없는 책이야.
거짓말을 하고
위선자가 되어야
한다고 가르치는
책이 어디 있어?
?
군주론

'그러므로 군주라면 누구나 자신의 신민(臣民)을 결속시키고 충성하도록 하기 위해서는 잔인하다는 평판쯤은 조금도 개의치 않아야 한다.'
(《군주론》 제17장 내용 중)

혹시 저 책을
쓴 사람은 조조의
광팬 아니야?
군주론
제17장

'군주가 택일해야 한다면 사랑받는 군주보다는 무서운 군주가 되는 편이 훨씬 안전하다고 본다.'
(《군주론》 제18장 내용 중)

그러게 말이야.
조조가 들었으면
당장 신하로
데려다 썼겠군.

짜 악

군주론

당시 《군주론》을 읽은 서양 사람들의
생각도 우리와 비슷했나 봐.

1532년 책이 출간되자마자 격한 반감을 샀거든.

군주론
이 책은 악마의 저작물입니다. 여러분은 이 책을 읽어서는 안 됩니다. 특히 아이들이 봐서는 절대로 안 됩니다.

1559년에 로마 교황청은
《군주론》을 금서로 지정했어.

군주론
절대 보지 마!

스페인의 예수회 회원들은 이 책의
저자를 종교적 신성과 권위를
파괴하는 몹쓸 인간으로 규정했어.

프로이센 제국의 프리드리히 2세는
《군주론》의 저자를 악마의 자식이라고
까지 혹평했지.

죽어 죽어!
퍽
퍽

그런데 참 이상해! 이처럼
보통 사람들의 가치관과는
차이가 많고,

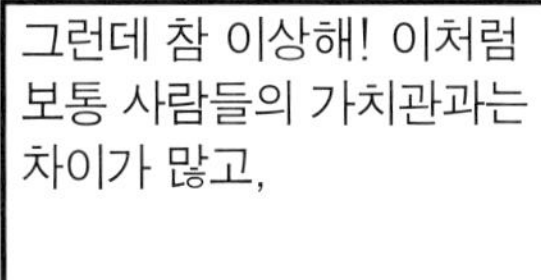
?

책이 출간될 당시에
종교지도자들이나 군주에게
혹평을 받은 이 책이

군주론

오늘날에 와서는 새롭게 평가되고
있거든. 어떤 사람은 근대 정치학의
문을 열었다고도 해.

근대 정치학
군주론

《군주론》은 로마 교황청으로부터
금서로 지정받은 후 약 500년이란
세월이 지났지만 여전히
전 세계인으로부터 고전으로
많이 읽히고 있어.

《군주론》은 서울대학교에서도 고전으로 선정할 만큼 훌륭한 책이니 꼭 읽어 봐야 해.
군주론

《군주론》은 신학으로부터 정치학을 독립시킨 책입니다.
정치론
군주론

《군주론》은 정치에 무관심했던 대중들을 정치의 세계로 끌어들인 매력적인 책입니다.
군주론

《군주론》은 외교관을 위한 규범을 담은 최초의 실용적인 외교 지침서입니다.
외교관
군주론

《군주론》은 리더십과 처세술을 알려 주는 실용적인 철학서입니다. 많이 사서 읽으세요. 호호.
군주론

사람들의 평가가 극과 극이지?
지금쯤 이 만화를 읽는
독자들도 혼란스러울 거야.

?
!
군주론

동일한 책을 놓고, 사람들의 평가가
이렇게 다른가? 하고 말이야.

군주론

그럼 지금부터 군주론에 대해 조금 더
깊이 알아보자. 그러면 그 이유를 알 수
있을 거야.

정말로 악마의 자식이 쓴
악마를 위한 책인지,

옛날 성현들의 가르침을 완전히
뒤엎는 파렴치한 정치술을 가르치는
책인지 말이야.

《군주론》은 이탈리아 피렌체에 살았던
마키아벨리라는 사람이 1519년에 써서
1532년에 출간된 책이야.

이탈리아
피렌체

마키아벨리에 대해서는 2장에서 자세히 다루었으니까, 궁금하면 먼저 2장부터 읽어도 돼.

2장

《군주론》이 탄생하게 된 데에는 당시 이탈리아의 정치적 환경이 직접적인 이유가 되었어.

정치환경

지금은 이탈리아가 통일된 하나의 국가지만, 16세기 무렵에는 그렇지 않았어.

16세기
이탈리아

당시 이탈리아 반도는 크게 세 부분으로 나누어져 있었어. 남부는 나폴리 왕국, 중부는 로마 교황이 다스리는 교황령, 그리고 북부는 많은 도시 국가들로 구성되어 있었지.

사보이
밀라노
만투아
베네치아 공화국
모데나
페라라
피렌체
교황령
시에나
나폴리 왕국

특히 북부에는 약 30개 정도의 크고 작은 도시 국가들이 서로 경쟁하고 있었는데, 이들 중에서 밀라노, 피렌체, 베네치아, 제노바 같은 도시 국가들은 유럽의 다른 국가들과 거의 맞먹는 경제력을 가지고 있었어.

밀라노
피렌체
베네치아
제노바

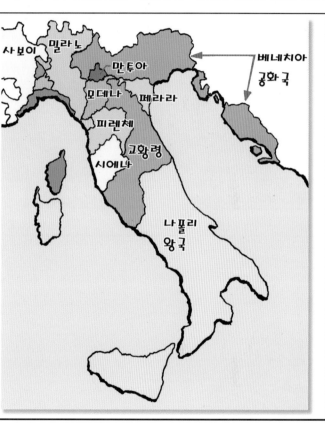

이렇게 많은 수의 나라들이 좁은 이탈리아 반도 안에서 서로 경쟁하며 살았으니 얼마나 시끄럽고 혼란스러웠겠어?

이탈리아

그들은 서로 자신들의 이익을 지키기 위해서 온갖 권모술수를 동원하여 경쟁했어.

이익
이익
이익

종교나 도덕적 명분보다는 정치적인 이익을 우선시하여 상대를 대했지.

정치적

특히 로마 교황이 심했어.

로마 교황은 자신의 종교적 영향력을 이용하여 이탈리아 내부의 권력 투쟁에 유럽의 군대를 자주 불러들였거든.

로마 교황은 이탈리아를 장악할 만큼 강력하지는 못했어. 하지만 다른 도시 국가들이 이탈리아를 장악하는 것을 용납할 만큼 허약하거나 관용이 있지는 않았기 때문에 늘 정쟁의 중심에 있었지.

너희는 나의 권력에 복종해야 해.
무슨 소리, 이탈리아에서는 내가 최고야!
나도 뒤지지 않아.

아무튼 로마 교황은 이탈리아가 하나의 우두머리 밑에 통합될 수 없게 만든 장본인이었어.

교황

이처럼 이탈리아가 여러 개의 도시 국가로 사분오열되어 정치적으로 혼란한 상태에 있을 때,

주변에 있던 프랑스나 스페인 등의 나라는 국왕을 중심으로 강력한 중앙 집권 체제를 구축하여 국력이 크게 융성해지고 있었어.

스페인
프랑스

당시 유럽은 절대 왕정(絶對王政)이 대세였어.

절대왕정
유럽

절대 왕정이란 지방의 각 영주들에게 분산되었던 정치권력을 한 명의 왕에게 복속시킨 것을 말해.

정치권력
정치권력
정치 권력
정치권력

절대 왕정의 대표적인 군주로 프랑스 국왕 루이 14세를 들 수 있어.

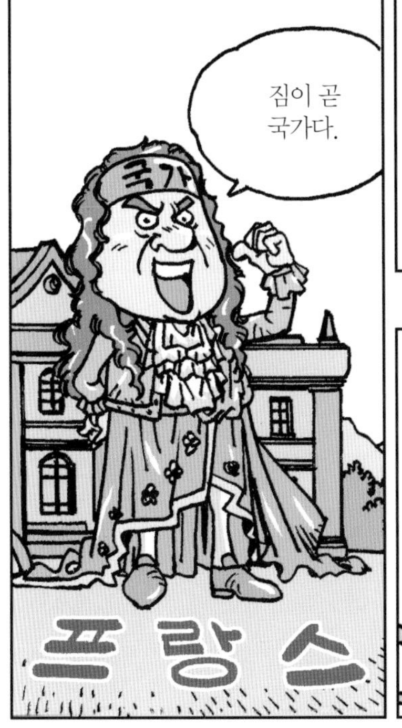
짐이 곧 국가다.
국가
프랑스

절대 왕정의 군주는 모든 정치권력을 자신에게로 집중시켰어.

정치권력

특히 국가의 군사력이 한 사람의 권력 아래 복속되자 언제든지 일사불란하게 전쟁을 치를 수 있게 되었지.

군사력의 효율적인 관리와 국제 무역의 활성화로 무력과 부를 쌓은 절대 왕정의 군주들은 유럽의 패권을 놓고 치열하게 다투었어.

내 거!
내 거야!
유럽 패권

유럽에서는 그들의 다툼이 영토 분쟁으로 이어졌어. 특히 프랑스와 스페인이 심했지.

퍽
퍽
스페인
프랑스

그런데 불행하게도 프랑스와 스페인이 영토 분쟁을 일으킨 곳 중의 하나가 바로 이탈리아였어.

옥신
프랑스
각신
이탈리아

힘이 약한 이탈리아의 백성들은 프랑스와 스페인 때문에 늘 고통 속에 살아야 했어.

퍽
이탈리아

한 가지 예를 들어 볼까? 알렉산데르 6세가 로마 교황으로 있을 때였어.

당시 밀라노와 베네치아를 비롯하여 이탈리아 곳곳은 크고 작은 소요로 시끄러웠어.

밀라노
베네치아
이탈리아

그런데 그 상황에서 나폴리 왕국의 왕위 계승권을 두고 로마 교황, 프랑스, 스페인 등이 서로 갈등을 일으킨 거야.

왕위
나폴리

1494년 나폴리 왕국의 페르디난도 1세가 죽었어.

바로 옆에 있던 교황 알렉산데르 6세는 페르디난도 1세의 아들 알폰소를 왕위 계승자로 인정하고 그를 왕위에 옹립하였어.

Good~!

그런데 교황이 민 알폰소는 스페인 계열의 사람이었어.

스페인

그러자 나폴리 왕국의 친프랑스파 사람들이 프랑스 국왕인 샤를 8세야말로 정당한 왕위계승자라고 주장하며 알렉산데르 6세에게 맞섰어.

이들의 지지에 고무된 샤를 8세는 교황이 자신을 지지하지 않는다면 당장 이탈리아 반도로 쳐들어가 알렉산데르 6세를 교황직에서 퇴위시키겠다고 협박했지.

실제로 1494년 샤를 8세는 대군을 이끌고 이탈리아로 쳐들어갔어.

그리고 1495년 5월에 나폴리 왕국의 왕위에 올랐어.

나폴리

알렉산데르 6세는 가만히 있지 않았어. 그는 밀라노, 베네치아, 스페인 등과 동맹을 맺고 샤를 8세를 압박했어.

당신, 이탈리아에서 나가지 않으면 가만두지 않겠어!
이탈리아

샤를 8세는 포르노보 전투에서 동맹군에게 패배하고는 이탈리아에서 물러났어.

쾅
쾅
쾅

프랑스 군이 물러난 지 몇 년 되지 않아 이번에는 스페인이 이탈리아를 침략했어.

스페인
이탈리아

1512년, 로마 교황이 스페인과 동맹을 맺고 프랑스에 맞섰는데,

이 과정에서 프랑스와 가깝던 피렌체가 스페인 군에게 유린당한 거야.

피렌체

스페인 군은 단순히 피렌체를 점령만 한 게 아니라 피렌체의 통치 집단을 갈아치워 버렸지.

통치집단

이처럼 이탈리아 반도에서는 프랑스, 스페인, 로마 교황 등의 싸움이 하루도 끊이지 않았으니 이탈리아 백성들의 삶은 얼마나 고달팠겠어?

이탈리아

마치 고래 싸움에 새우 등 터지듯이 힘없고 가난한 백성들의 삶은 힘들기만 했지.

콰 쾅

《군주론》을 지은 마키아벨리는 이런 모습을 가까이에서 직접 목격하면서 많은 생각을 했을 거야.

아! 우리 이탈리아의 분열과 혼란을 딛고 통일을 이룰 수 있는 강력한 군주가 필요해. 하루라도 빨리 나라의 질서를 바로 세우고 강력한 국가를 만들어야 해.

이렇게 혼란스러운 정치 환경이 계속 된다면 결국 피해를 보는 이들은 힘없고 가난한 백성들이야.

차라리 좀 잔인하고 폭력적인 인물이라도 혼란을 없애고 나라의 질서를 바로 세울 수만 있다면 그를 지도자로 세우겠어.

시대를 막론하고, 나라를 하나로 통합할 강력한 세력이 없을 때 세상은 어지러워져.

법과 질서가 없고, 도둑이 들끓고,

권력을 가진 세력들 사이의 다툼이 전쟁으로 연결되지.

또 힘 센 사람들이 자신들의 이익을 위해 약한 사람들을 마음대로 괴롭히지만

약한 이들은 자신들을 지킬 방도가 없기 때문에 속수무책으로 당할 수밖에 없어.

딱

대표적으로 중국의 춘추 전국 시대가 그랬지.

그러나 진시황제라는 걸출한 인물이 나타나 혼란스러운 중국 대륙을 통일했어.

그가 중국을 다스릴 때 중국은 국가로서 하나의 틀 안에서 질서 있게 움직였고,

국가

내전은 멈추었고, 외침도 거의 없었어. 백성들은 전보다 훨씬 안정된 생활을 할 수 있었어.

마키아벨리도 아마 진시황제와 같은 인물이 이탈리아에 나타나기를 바랐을 거야.

비록 진시황제처럼 거칠고, 잔인하고, 자기중심적이더라도 이탈리아를 통일하고, 프랑스나 스페인처럼 강력한 국가를 만들 수 있는 지도자 말이야.

그래서 그는 공직에서 물러난 뒤, 조조나 진시황제처럼 강력한 리더십을 가진 인물이 나타나기를 바라며, 그 인물에게 필요한 지침서와 같은 책을 만들었어.

맹자의 제자들이 《맹자》라는 책을 만든 것처럼 그는 《군주론》을 지은 거지.

그런데 왜 마키아벨리는 맹자처럼 인의에 바탕을 둔 왕도 정치를 말하지 않고,

목적을 위해서는 수단과 방법을 가리지 않아도 된다는 식의 비정한 정치를 외쳤을까?

비겁-!
비겁-!

그건 사람을 바라보는 기본적인 관점이 달랐기 때문이야.

?
?

맹자나 공자와 같은 동양의 성현들은 사람들의 본질은 선하다고 생각했어. 이를 성선설(性善說)이라고 하지.

사람들은 기본적으로 선하게 태어납니다. 그러므로 잘 가르치면 얼마든지 좋은 생각을 하고 좋은 일을 할 수 있습니다.

그래서 왕에게 도덕을 가르쳐서 백성들을 인의로 다스리게 하면 좋은 세상이 온다고 믿었어.

인은 사람의 마음이오, 의는 사람의 길입니다. 인과 의를 잘 갖추면 우리 모두 잘 살 수 있습니다.

하지만 마키아벨리는 사람을 보는 시각이 완전히 반대였어. 그는 사람의 본성이 악하다고 생각했어.

!
악

이를 성악설(性惡說)이라고 하지. 성악설에 따르면 사람이 태어나면서부터 가지는 감성은 욕망이고, 그것을 방임하면 사회적인 혼란이 일어난다는 거야.

성악설

기독교도 성악설에 가까운데, 인류의 시조인 아담이 원죄를 지었기 때문에 사람들은 태어날 때부터 악한 경향이 있다고 하거든.

마키아벨리는 인간에 대한 생각이 기본적으로 부정적인 데다가 자신의 동포인 이탈리아 인들에 대해서도 믿음을 갖지 못했어. 그의 글을 보면 잘 알 수 있지.
오늘날 이탈리아 인의 정신력이 발현되기 위해서는 이탈리아를 현 상태로 묶어 둘 필요가 있다. 그리고 이탈리아가 히브리 인 이상으로 노예화되어야 하며, 페르시아 인 이상으로 비참하게 되어야 하고, 아테네 인 이상으로 흩어져야 할 필요가 있다. 요컨대 지도자가 없고 무질서하고 매질을 당하고 옷을 벗기고 찢기고 짓밟히는 등 온갖 종류의 재앙에 시달려야 할 필요가 있다.
(《군주론》 제26장 내용 중)

마키아벨리는 한마디로 이탈리아 사람들이 좀 더 고생을 해야 한다고 생각했어.

마키아벨리는 이처럼 이탈리아 사람들이 거의 죽을 지경에 이르렀을 때에야 이탈리아의 상처를 치유해 주고, 오랫동안 곪아 온 상처들을 씻어 줄 지도자가 나타나기를 바랄 것이라고 말했어.

이제 마키아벨리가 왜 목적을 위해서는 수단과 방법을 가리지 않아도 된다는 내용의《군주론》을 썼는지 이해가 되니?

마키아벨리가 살았던 시대에 이탈리아의 상황은 우리가 생각하는 것보다 훨씬 비참했어. 강력한 지도자를 바라는 마키아벨리의 심정은 정말 절실했을 거야.
하루빨리 이 혼란을 잠재우고 질서가 잡힌 평화로운 세상에 살고 싶어.
나도 저 시대에 살았더라면 마키아벨리와 같은 생각을 했을 수도 있겠군.

또한 성악설에 바탕을 둔 기독교적인 가치관에 영향을 받았으니 일반 대중에 대한 기대가 그리 크지 않았을 거야.
인간은 결코 믿을 만한 존재가 못 돼. 그들에게 너무 큰 기대를 하다가는 일을 그르칠 수 있어.
안타깝긴 해도 마키아벨리의 생각이 좀 더 현실적이었을 수도 있겠어.

《군주론》의 내용이 우리가 생각하는 가치관과 차이가 있는 것은 사실이야.

그러나 《군주론》을 여러 각도에서 조금만 더 꼼꼼히 읽고, 글 뒤에 숨어 있는 마키아벨리의 깊은 생각을 이해한다면 시각이 조금은 달라질 거야.

군주론
!

첫째로, 마키아벨리가 《군주론》을 일반 개인이 아니라 오로지 군주를 위해서 쓴 책이라고 생각해 봐.

군주론
나-? 군주-

이럴 경우에 우리는 《군주론》을 개인의 윤리가 아니라 군주의 윤리를 바탕으로 두고 읽어야 해.

군주 개인의 양심이나 신의를 지키기 위해 나라 전체를 혼란에 빠뜨리는 것은 옳지 않습니다. 차라리 군주 개인의 양심이나 신의를 포기하는 것이 지혜롭습니다.

우리 같은 사람들이 양심이나 신의를 지키지 않아도 되나요?
그건 아니지요. 양심이나 신의를 안 지키면 그게 사람인가요?

그런데 왜 책에 '군주는 대단한 거짓말쟁이인 동시에 위선자가 되어야 한다.'라고 써 놓았나요? 저는 그걸 읽고 누구나 거짓말을 하거나 위선자가 되어도 된다고 생각했지요.

그래서 제가 주어를 '군주'라고 했잖아요. 이 책의 내용은 '군주'와 같은 특별한 자리에 있는 사람에게만 해당된답니다. 괜히 일반인들이 따라서 할 내용이 아니에요.

마키아벨리는 악한 사회를 만들려고 《군주론》을 지은 것이 아니야.

그가 생각하기에 악한 인간은 자연히 악한 사회를 만들기 때문에

그 악한 사회에 질서를 부여하고,

도덕적인 사회가 되도록
만들기 위해서

군주는 독하고, 냉정해야 하고,
무서워야 한다고 말한 거야.

나라 전체의 행복과 질서를 위해서
필요할 경우 군주는 부도덕한 인물이
될 수 있어야 한다고 말한 거야.

둘째로, 《군주론》이 군주가 아니라
일반 개인, 즉 백성들을 위해서 쓴
책이라고 생각해 봐.
군주론

마키아벨리는 《군주론》에 쓴 내용들을 통해 백성들이 군주라는 존재가
어떤 생각과 행동을 하는지를 알게 하고자 했다는 거야.
《군주론》을 보면, 훌륭한 군주가 되기 위해서는 잔혹하고, 위선적이고, 거짓말쟁이가 되어야 한다는군.
군주는 믿을 만한 존재가 아니라 사악하고 잔인한 악마와 같은 존재야. 이런 사람들에게 우리의 생명과 미래를 맡길 수 없어.
악한 군주를 몰아내고, 모두가 주인이 되는 공화정을 수립하자!
우리 모두 힘을 합쳐 혁명을 이룩하자.
후후훗. 내가 고생해서 책을 쓴 보람이 있군.

이건 마키아벨리가 어떤 음모를
가지고 《군주론》을 쓴 셈이 되는
거야.

이렇게 생각할 수 있는 까닭은 이미 군주가 된 자라면
마키아벨리가 책에 쓴 내용을 다 알고 있다고 예상할 수 있기
때문이야.
그랬으니까 군주가 된 것이지.

그러나 어떤 것이 진짜 마키아벨리의
생각인지 알 수 없어. 그는 이미 이 세상
사람이 아니잖아?

그럼 《군주론》이 어떤 내용으로 구성되어 있는지 간단하게 살펴볼까?

《군주론》은 모두 26개의 장으로 이루어져 있어.
26장

《군주론》은 크게 6개의 주제로 구분할 수 있어.

첫째, 헌정사야. 헌정사 머리글을 보면 '니콜로 마키아벨리가 위대한 로렌초 데 메디치께 바침.'이라고 적혀 있어. 마키아벨리가 《군주론》을 써서 메디치 가문의 로렌초에게 바쳤다는 거야.

아이러니컬하게도 마키아벨리는 메디치 가문에 의해서 고위 관리직에서 쫓겨났어.

고위 관리직

그런데도 그가 메디치 가문에 자신이 애써 지은 책을 바친 것은 《군주론》을 바침으로써 재기의 발판을 마련하고자 했거나, 아니면 로렌초가 자신이 바라는 군주가 될 수 있을 것이라는 희망을 가졌던 것으로 볼 수 있어.

고위 관리직

어느 생각이 더 비중이 큰지 사실 나도 잘 몰라. 흐흐흐.

둘째는 '군주국의 종류와 특성'이야. 여기에 대한 내용은 1~9장과 11장에서 다루고 있어.

군주론

세습 군주국, 혼합 군주국, 시민 군주국, 교회 국가 등에 대해 설명하고 있어.

세습군주국
혼합 군주국
시민 군주국
교회국가

알렉산드로스 대왕이 죽은 후에 그 후계자들이 다리우스 왕국을 잃지 않았던 이유도 함께 설명하고 있어.

다리우스

셋째는 '국가 경영에서 군사력의 중요성'이야. 10장, 12~14장에서 다루고 있지.

군주국의 국력을 평가하는 방법에 대해서, 군대의 종류에 대해서 설명하고 있어.

특히 용병에 대해 자세하게 설명하고 있지.

넷째는 '군주가 갖추어야 할 성품이나 능력, 자질' 등이야. 15~23장에서 다루고 있어.

성품
능력
자질
군주

군주가 칭송받거나 탄핵받는 원인을 설명했고,

탄핵
군주

군주의 관대함과 인색함, 잔인함과 인자함 등에 대한 이야기를 하고 있어.

관대함
인색함
잔인함
인자함
군주

다섯째는 '인간사에 미치는 운명의 힘에 대처하는 방법'이야. 25장에서 다루고 있어.

운명

운명은 인간사에 대해서 어느 정도의 힘을 갖는지,

운명

그리고 운명에 대처하는 방법은 무엇인지에 대한 고민을 다루고 있어.

운명

여섯째는 '이탈리아 현실에 대한 진단과 미래를 위한 조언'이야. 24장, 26장에서 다루고 있어.

이탈리아

어떻게 하면 이탈리아를 부흥시켜 야만족으로부터 해방시킬 수 있는지에 대한 모색이라고 할 수 있어.

이탈리아

마키아벨리는 자신의 바람을 몇 줄의 시로 표현하고 있어. 아마 이 시는 그가 군주론을 쓴 궁극적인 이유이기도 할 거야.

역량이 야만의 광포함과
대담하게 싸울 것이니
싸움은 순식간에 끝나리라.
진솔한 이탈리아 인의
가슴 깊은 곳에
옛날의 영웅적 긍지가 지금도
살아 숨 쉬고 있기에.

군주론에 대한 좀 더 자세한 내용은 3장부터 살피기로 하고, 이제 저자 마키아벨리에 대해 알아볼까?

성선설(性善說)과 성악설(性惡說)

마키아벨리는 이탈리아의 어지러운 정치 상황과 권력자들의 부패한 모습을 보면서 인간의 본성은 악하다고 생각했고, 이런 생각을 바탕으로 《군주론》을 썼습니다. 마키아벨리처럼 인간의 본성이 악하다고 보는 시각을 성악설이라고 합니다. 반면에 인간의 본성을 선하다고 보는 주장도 있는데 이를 성선설이라고 합니다.

동양 - 맹자의 성선설과 순자의 성악설

맹자는 '인간의 본성은 선(善)하다.'라고 생각했습니다. 인간은 선하기 때문에 인의예지(仁義禮智)를 알고, 그 마음에 본성에서 나오는 네 가지 마음씨, 즉 측은(惻隱 – 딱하고 가엾게 여김), 수오(羞惡 – 부끄러워하고 미워함), 사양(辭讓 – 겸손하여 받지 아니함), 시비(是非 – 옳고 그름을 따짐)를 갖고 있다고 주장했습니다.

맹자는 스승인 공자처럼 당대에는 받아들여지지 못했지만 이후 유학자들에 의해 추앙되었다.

인간의 본성이 선하다고 믿은 맹자는 누구나 열심히 공부를 하여 인의를 갖추면 집안이나 나라를 잘 다스릴 수 있다고 생각했습니다. 그래서 맹자는 인의(仁義)의 덕을 바탕으로 하는 왕도정치(王道政治)를 널리 가르쳤습니다. 각 나라의 군주들이 폭력적인 방법으로 영토를 넓히는 데 혈안이 되어 있던 시절에 맹자는 덕으로 사람들을 감화시켜 인의(仁義)를 실천하려 했습니다. 그렇지만 안타깝게도 맹자의 왕도정치는 성공하지 못했습니다. 그의 가르침을 받아들이는 군주가 없었기 때문입니다.

맹자가 꿈꾼 왕도정치는 나중에 유교를 배운 나라에서 정치적 이상이 되었습니다. 유학자들은 맹자의 왕도정치를 시금석 삼아 부도덕한 군주를 꾸짖고 올바른 길을 제시했습니다.

한편 순자(荀子)는 성악설을 주장했습니다. 순자는 전국시대에 각 나라의 군주들이 숱하게 전쟁을 일으키고 이로 인해 죄 없는 많은 사람들이 비참하게 죽어가는 모습을 보고 인간의 본성은 악(惡)하다고 생각했습니다. 순자는 인간은 본질적으로 악하므로 인간 자체로는 가정이나 나라를 제대로 이끌어 나가기 어렵다고 생각했습니다.

그래서 순자는 행위와 규범을 단속하는 법과 권력이 필요하다고 여겼습니다. 이를 위해 군주는 강력한 권력을 가져야 된다고 주장했습니다. 이를 보면 순자의 생각은 마키아벨리와 많이 닮은 것을 알 수 있습니다.

서양 - 홉스의 성악설과 루소의 성선설

서양인들은 대체로 인간의 본성을 악하게 보았습니다. 기독교의 원죄설이 오랜 세월 동안 서양의 정신문명을 지배했기 때문입니다. 성경의 창세기를 보면 하느님이 창조한 최초의 인간인 아담은 그의 아내 하와의 말을 듣고 선악과를 먹는 불순종의 죄를 저지릅니다. 그 불순종의 죄를 원죄라고 하며 인간은 태어나면서부터 그 죄의 대가로 노동과 출산, 그리고 죽음의 고통을 지게 되었다고 말합니다.

기독교의 원죄설은 사람의 본성을 악하다고 본 성악설과 닮아 있다. 〈아담과 하와의 가을 지상 낙원〉 루벤스, 1615

성악설을 발전시킨 대표적인 학자로는 영국의 철학자 홉스(J. Hobbes : 1588~1679)를 들 수 있습니다. 홉스는 인간의 타고난 본성은 이기적이며 악하고, 충동적이며 욕망이 가득하고, 또 공격적이라고 했습니다. 또한 독일의 철학자 쇼펜하우어(shopenhauer : 1788~1860)는 인간의 죄악이 본성 가운데 뿌리 깊게 박혀 있기 때문에 제거할 방법이 없다고 생각했습니다.

성선설을 주장한 대표적인 학자로는 루소(J.J.Rousseau : 1712~1778)가 있습니다. 그는 '자연이 만든 사물은 모두가 다 선하지만 일단 인위(人爲)를 거치면 악(惡)으로 변한다.'고 말하면서 인간의 본성은 본래 선한 것인데 문명과 사회의 영향을 받아 점점 악하게 되었다고 주장했습니다. 따라서 루소는 부모나 교사는 되도록 어린이가 자연적으로 자라나는 것을 방해하지 말아야 한다고 말했습니다.

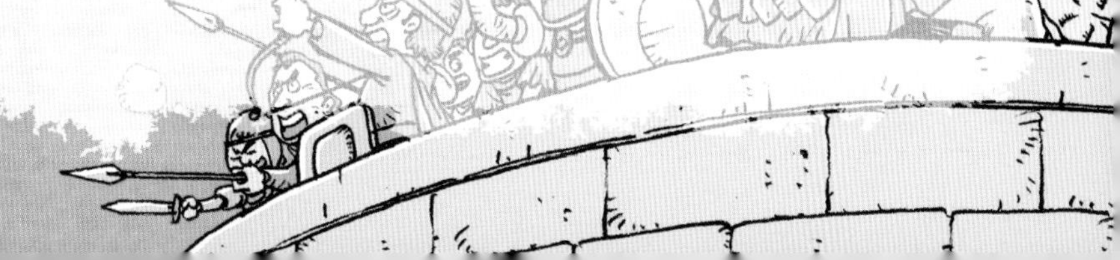

2장
마키아벨리는 어떤 사람일까?

위 그림의 주인공을 자세히 봐. 인상이 어때?

머리 위에 뿔 한 쌍을 그려 넣으면 영락없는 악마의 인상이지?

독일의 대문호 괴테가 쓴 《파우스트(1831)》에 나오는 악마와 닮은 것 같기도 하고.

실제로 많은 사람들이 마키아벨리를 그렇게 생각하고 있는 것 같아.

악마닷!
악마!
악마야!

대표적인 예로 그의 이름이 들어간 '마키아벨리즘'이라는 단어를 보면 잘 알 수 있어.

'마키아벨리즘이란 국가의 운영 등에서 속임수나 겉과 속이 다른 방법을 동원하는 것'을 말한다.
마키아벨리즘은 진짜 나쁜 거네?
Oxford Diction ary

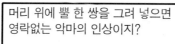

물론 이렇게 생각하는 것도 이해가 돼. 왜냐하면 마키아벨리가 오해받을 만한 글을 《군주론》에 썼거든.
'군주는 나라를 지키려면 때로는 배신도 해야 하고, 때로는 잔인해져야 한다.'

인간성을 포기해야 할 때도 있다.'
저 사람의 말은 들으면 큰일 나요!

'신앙심조차 잠시 잊어버려야 할 때도 있다.'
점점 더 심한 말을 하네. 저런 사람은 종교 재판에 넘겨서 감옥에 넣어야 해.

'목적을 위해서는 수단과 방법을 가리지 않아도 된다.'는 그의 정치 철학을 들은 사람들이 그를 악마 같은 사람이라고 여기는 것은 자연스러운 일이었을지도 몰라.
저 사람의 정치 철학은 듣기에도 무시무시해.
혹시 악마가 인간의 모습을 한 것이 아닐까?

하지만 마키아벨리는 악마 같은 사람이 아니었어.
빠샤

그는 아무도 죽이지 않았고,
?

또 권모술수를 동원하여 정치권력을 휘두른 적도 없었어.
?
정치권력

마키아벨리는 피렌체 정부의 고위 관리직에서 쫓겨난 후에
피렌체 정부

가족들의 생계를 책임지기 위해 힘 있는 사람(메디치 가문의 사람)에게 일자리를 얻으려고 자기가 쓴 책을 바치기도 했단다.
애들아, 조금만 참아. 이 책을 높은 분에게 바치면 아빠가 일자리를 얻을 수 있을 거야.

그럼 지금부터 마키아벨리가 어떤 사람인지 한번 제대로 알아볼까?

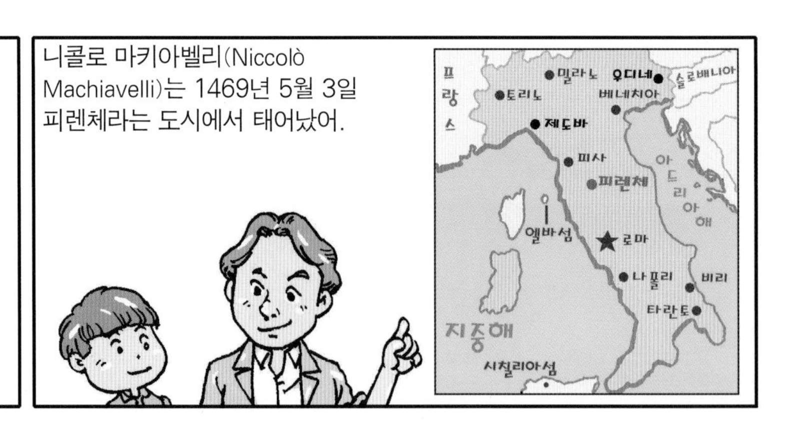
니콜로 마키아벨리(Niccolò Machiavelli)는 1469년 5월 3일 피렌체라는 도시에서 태어났어.
프랑스
밀라노
우디네
슬로베니아
토리노
베네치아
제노바
피사
피렌체
아드리아해
엘바섬
로마
나폴리
바리
타란토
지중해
시칠리아섬

마키아벨리가 태어났을 때 아버지의 나이는 서른여덟, 어머니의 나이는 스물아홉 살이었어. 다섯 살과 두 살 많은 누나가 있었지.

어? 참 이상하네, 갓난아기가 눈을 동그랗게 뜨고 있어. 다른 집 아이들은 눈을 감고 있던데?

맞아. 아기가 태어날 때부터 눈을 뜨고 있었어. 신기하지?
소크라테스, 볼테르, 갈릴레이도 눈을 뜨고 세상에 나왔대. 아마 이 아기는 커서 유명한 사람이 될 거야.

마키아벨리가 눈을 뜨고 세상에 태어났다는 말은 이탈리아의 유명한 작가 주세페 프레촐리니가 '니콜로 마키아벨리의 생애'에서 한 말이야.
에이, 무슨 아기가 눈을 뜨고 세상에 나와? 거짓말이지?
진짜라니까?

아버지의 이름은 베르나르도 디 니콜로 마키아벨리였어.

그는 명망 높은 귀족은 아니었으나 토스카나 귀족 가문의 먼 후손으로 중산층 이상의 생활을 했단다.

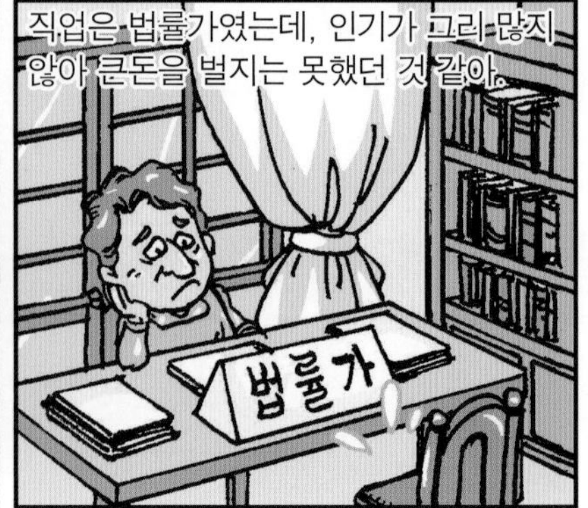
직업은 법률가였는데, 인기가 그리 많지 않아 큰돈을 벌지는 못했던 것 같아.
법률가

어머니 바톨로메아 마키아벨리는 젊어서 미망인이 된 여자였어.

마키아벨리의 아버지와는 재혼을 한 셈이지.

그녀는 신앙심이 매우 깊었어. 그래서 마키아벨리가 성직자가 되기를 원했지.
아들아, 너는 성직자가 되었으면 좋겠구나.

그녀는 문학에 관심이 많았어. 시를 썼는데, 주로 종교에 관한 시였어.
으아앙
아, 시상이 떠오를 듯 말 듯하구나. 아 괴로운 시인의 밤이여!

우리 집 생활비의 반은 저 종이 값으로 나갈 거야.

마키아벨리도 나중에 문학 작품을 여러 편 썼어.
나는 '만드라골라'라는 제목의 희극과, '벨파고르'라는 소설도 썼지.
만드라골라
벨파고르

아마 마키아벨리의 문학적 감수성은 어머니로부터 영향을 받은 것인지도 몰라.
호호, 이 어미를 닮아서 저 아이가 글을 그렇게 잘 썼다고들 해요.

마키아벨리의 어린 시절에 대한 기록은 주로 아버지 베르나르도가 쓴 일기에 나오는 것들이야.
후훗, 저는 1474년부터 1487년 사이에 꾸준히 일기를 썼답니다.
일기

당시 개인적인 목적으로 문자로 된 기록을 남기는 것은 흔한 일이 아니었지.
어떻게 그렇게 오랫동안 일기를 쓰셨는지요?
르네상스의 중심인 피렌체의 시민으로서 당연히 해야 할 일을 한 것뿐입니다.

베르나르도가 쓴 일기를 보면, 마키아벨리는 일곱 살 때
문법과 읽기, 쓰기를 배우기 시작했다고 되어 있어.

열 살 때는 산수와 부기를 배웠고,
5+8=13
6-2=4

열두 살에는 라틴 어를 상당한 수준까지 익혔다고 해.
VERITAS LUXMEA

그래. 열심히 공부하거라. 풍족하지 않은 살림이지만, 네가 공부하는 데는 돈을 아끼지 않으마.

마키아벨리는 글쓰기와 책 모으기를 좋아했던
아버지의 영향을 많이 받았어. 마키아벨리의 다양한
인문학적 지식은 아버지의 서재에서 시작되었을 거야.

베르나르도는 르네상스 인답게 고대 그리스와 로마의
인문학에 관심이 많았어.
그리스 인문
로마의 인문학

그가 모은 책들을 보면 쉽게 짐작할 수 있어.
아리스토텔레스 윤리학
프톨레마이오스 천문학
키케로의 변론학
플리니우스의 박물지
리비우스 로마사
동방견문록

마키아벨리의 아버지가 살던 시대는
지금과 같이 출판문화가 활발하지 않았어.

르네상스의 중심지라고 일컫는 피렌체에서도 1년에 5권 남짓한 종류의 책이 출간되었거든.

피렌체
르네상스

또한 초판은 대개가 100권 정도로 적게 찍었어. 가장 많이 팔리던 성서의 초판이 1000권 정도였으니까.

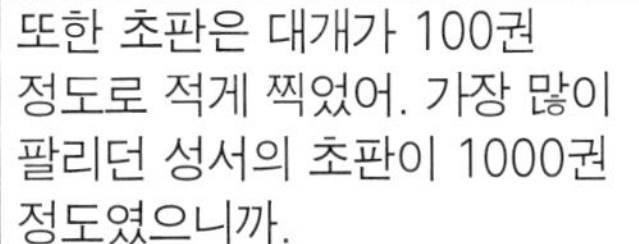

책!
Books
없어!

책을 사는 이도 많지 않아 책값이 상당히 비싼 편이었지.

안사!

당시 중산층이던 베르나르도의 1년 수입이 110피오리노 정도였는데, 법률 관련 서적은 한 권 값이 4~5 피오리노였어. 월수입의 절반에 해당하는 값이었지.

가장 저렴했던 문학 책도 가격이 만만치 않았는데, 단테의 소설책은 2피오리노나 했어.

Book..s!

베르나르도가 이런 비싼 책을 40여 권이나 사서 모았으니 그의 고전 인문학에 대한 열정은 대단했던 셈이야.

수입도 넉넉지 않은 인물이 책 욕심은 엄청나다니까.
그러게 말이야. 남는 돈이 있으면 우리에게 좀 나누어 주면 좋 좋나?

그런데 특이한 점은 베로나르도의 장서에는 종교에 관련된 책이 한 권도 없었어. 덕분에 마키아벨리는 기독교적인 가치관에 구속되지 않았지.

?

오늘날도 그렇지만, 아이들의 독서 습관은 대개 부모로부터 이어 받아.

마키아벨리도 마찬가지였을 거야. 아버지가 서재에 앉아 두꺼운 책을 펼쳐 놓고 한 장씩 넘기며 사색에 잠길 때 옆에 앉아서 그도 같은 자세로 책을 읽었을 거야.

아버지 때문에 마키아벨리는 책에 대한 애정도 남달랐어. 그는 평생 책을 가까이 하고 살았어.
니콜로, 여기 이 책들을 제본소에 가지고 가서 겉표지를 바꾸고 와. 겉표지가 많이 낡아 교체를 해야 해.
네, 아버지.

휴, 다행히 책은 젖지 않았어.

아저씨, 책 표지를 깔끔하게 잘 해 주세요.

두리번
두리번

저 녀석은 자기 아버지를 꼭 닮았어. 올 때마다 새로 나온 책을 읽고 간다니까.

제본소에서 오늘 새로 나온 책을 보았어요. 키케로가 쓴 《의무론》이던데요.
그래? 지금 당장 사러 가자. 다른 사람들이 사기 전에 빨리 사야 해.

이 책 사는 것은 엄마에게 비밀이야. 이번 달에도 벌써 책 사는 데 돈을 너무 많이 썼다고 엄마가 뭐라고 했거든.
네~.

그런데 마키아벨리는 대학 교육을 받지 않았다고 해.

대학

마키아벨리를 연구한 학자들은 교육에 관심이 많았고, 인문학적 지식에 많은 애정을 가졌던 베르나르도가 아들을 대학에 보내지 않은 것에 대해 아직도 의문을 가지고 있어.

왜 그랬을까?
인물학자

마키아벨리의 집안은 넉넉하지는 않았지만 아들을 대학에 못 보낼 정도는 아니었거든.

지폐

피렌체 주변에는 당시 세계적인 대학교가 여럿 있었어.

대학
대학
피렌체
대학

산 하나만 넘으면 볼로냐 대학이 있었고,

내가 이 대학을 나왔지.
니콜라우스 코페르니쿠스

베네치아 공화국에는 파도바 대학이 있었고,

내가 이 대학을 나왔어.
교황 바오로 5세

피렌체 근처에는 피사 대학이 있었거든.

나의 모교야.
갈릴레이

혹시 마키아벨리가 그리 공부를 잘하지 못해서 대학에 가지 못한 것은 아닐까 생각할 수도 있겠지.

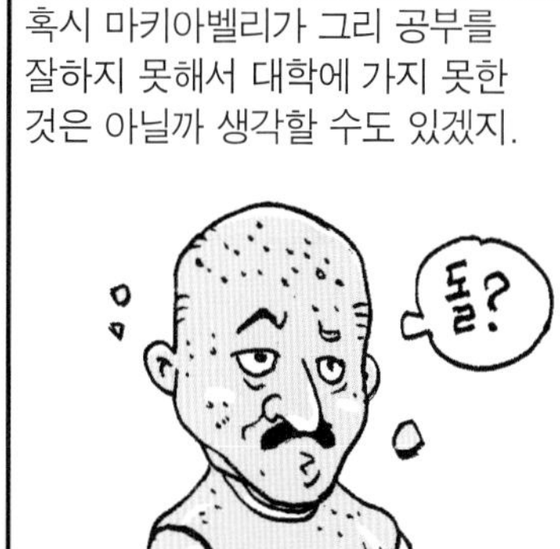

돌?

하지만 당시에 대학을 나오지 않은 것은 큰 문제가 아니었어.

대학

마키아벨리와 같은 시대에 살았던 천재 화가 레오나르도 다 빈치도 대학을 나오지 않았거든.

나는 학문이 필요 없는 인간이다.
학문

어릴 때 공방에 들어가 중학교도 나오지 못한 레오나르도 다 빈치는 자신이 대학을 나오지 않은 것에 전혀 개의치 않았어.

대학 졸업장

마키아벨리의 18세 이후 29살까지의 기록이 없어 그동안 그가 어떻게 살았는지는 잘 몰라.
18세
29세

아마 그는 특별한 일거리 없이 아버지의 일을 돕거나

독학을 하면서 다양한 인문학적인 교양을 쌓으면서 지냈던 것 같아.

그의 삶에 대해 다시 기록된 것은 피렌체 정부의 고급 관리로 일하기 시작한 1498년 29세부터야.
니콜로, 피렌체 정부에서 제2정무처장 자리가 났다고 해서 너를 후보자 명부에 올렸어.

제가 그만한 일을 할 능력이 있을까요?
그동안 혼자서 많은 공부를 했잖아? 그리고 너는 무엇보다 타고난 성실함이 있어서 잘 해낼 거야.

저를 뽑아만 주십시오. 역대 피렌체 정부의 어떤 관리보다 일을 잘할 수 있습니다.
저 사람은 말만 너무 뻰질나게 잘하는 것 같지 않소?
그러게요. 생긴 것이 별로 믿음직스럽지 않군요.

저는 그동안 다양한 소송에서 대부분 승리를 했고, 또 에~.
저 사람은 나이가 좀 많군.

저는 피렌체에서… 공, 공증인… 으, 으로 이, 일… 하고 있습니다.
저 친구는 화술이 부족하군. 제2정무처장은 외교도 잘해야 하는 자리인데. 안 되겠군.

저는 29살의
마키아벨리입니다.
가장 먼저 출근해서
가장 늦게까지
일하겠습니다.
저 친구가
마키아벨리입니다.
제1정무처장이 강력하게
추천했어요. 저래 봬도
모르는 것이 없는 똑똑한
사람이랍니다.

그래요?
젊은 사람이 눈에
총기가 있군요.
또 제1정무처장이
추천했다니
믿을 만하고요.

후보자들의 말을 다 들었으니
이제 투표에 부칩시다.
의원 여러분! 종이에
선호하는 후보자 이름을
써서 내시오.

마키아
벨리

무직자였던 마키아벨리는 변론술 교수, 변호사, 공증인 등 쟁쟁한 경쟁자들들 제치고 피렌체 공화국의 제2정무처장이 되었어.

피렌체 대의회
흐흐. 내가
제2정무처장이
되다니.

대의회는 피렌체 공화국의 국회와 같은 곳이었는데, 그의 자리는 대의회에서 투표로 결정할 만큼 요직이었지.

대의원
결정
요직

고등 교육을 받지도 않았고, 이렇다 할 명문 출신도 아니며,

고등 교육
명문

나이도 젊은 마키아벨리가 어떻게 제2정무처장의 자리를 차지하게 되었는지 정확하게 밝혀진 사실이 없어.

?
제2
정무처장

제1정무처장과 미리 친교가 있어서 그의 적극적인 추천으로 된 것이 아닐까 추정할 뿐이야.

마키아벨리는 제2정무처장의 일을 아주 열심히 했어. 그는 당파에 속하지도 않았고, 개인적인 욕심도 부리지 않으며 자신의 일을 정확하게 했지.

제2정무처장

마키아벨리는 제2정무처장으로 임명된 지 한 달 남짓 지나서 '평화와 자유의 10인 위원회' 사무장의 임무도 맡았어.

평화와 자유의 10인 위원회

'평화와 자유의 10인 위원회'는 국방과 관련된 일을 담당했으므로, 마키아벨리는 자연히 피렌체 국방에 대한 일도 했어.

또한 외교 문제에도 깊이 관여했지. 피렌체의 주요 정치 사항은 모두 그의 손을 거쳤다고 할 수 있어.

정치사항

이러한 경험은 나중에 그가 《군주론》 등의 책을 저술할 때 중요한 자료가 되었어.

군주론

이후 마키아벨리는 약 14년 동안 피렌체의 제2정무처장으로 활동하면서 내무, 국방, 외교 등의 일을 두루 맡아 일했어.

14년
내무
국방
외교

특히 외교 분야에서 많은 일을 했는데, 약 10년 동안 여러 나라에 대사로 다니며 피렌체의 이익을 위해 많은 노력을 했어.

이 무렵 마키아벨리는 로마에서 체사레 보르자(Cesare Borgia, 1475 ~ 1507)라는 인물을 만났어.

보르자는 당시 교황인 알렉산데르 6세의 아들로, 교황의 후원을 등에 업고 막강한 권력을 행사하고 있었지.

우아, 저 눈빛 좀 봐. 무척 강한 의지를 가진 남자군.

그는 나중에 마키아벨리가 쓴 《군주론》의 모델이 된 사람이야.
군주론

그는 놀랄 만큼 빠르게 결단을 내리고, 실행에 옮기는군.

음, 막후의 비밀공작에도 능숙한 인물이야.
쑥덕
쑥덕

마키아벨리는 목적을 위해서는 수단과 방법을 가리지 않고 냉혹하게 일을 처리하는 보르자의 모습에서 강한 인상을 받았어.

마키아벨리는 일반인들의 평가와는 다르게 보르자를 자신이 꿈꾸는 이상적인 군주로 높이 평가했어.
저 사람에게서 이탈리아 통일을 이뤄 낼 영웅의 모습을 보이는군.

교황 아버지의 후광 아래에서 냉혹하게 권력을 행사하는 저런 인간을 이상적인 군주라고? 말도 안 돼!

맞아. 저 사람은 자신의 목적을 위해서는 가족도 죽일 사람이야.
그건 보르자의 한쪽 면만 봐서 그런 거야.

누구의 평가가 옳은지, 보르자가 어떤 인물인지 지금부터 좀 더 자세히 알아볼까?

체사레 보르자는 1475년 8월 로마에서 태어났어.
로마

그의 아버지는 당시 로마 교황청 차관이자 실세였던 로드리고 보르자(Rodrigo Borgia)였고,

어머니는 아버지와 결혼 전까지는 정부(情婦)로 지냈던 미천한 계급의 여자였어.

이상하다?
가톨릭 교황이면
신부인데 아들이
있다고? 신부님들은
결혼을 안 하잖아?

오, 노! 그건
네가 당시의
종교 지도자들을
잘 몰라서 그래.

당시 종교 지도자들은
말만 종교인이었지,
실제로는 세속인들과
같았어.

오히려 더 했으면 더 했지.
특히 알렉산데르 6세는 재물, 여자,
권력밖에 모르던 인물이었어!

그래? 난 신부님이라면
다 순수하고, 신앙심 깊은
사람으로만 알았는데,
옛날에는 안 그랬구나.

알렉산데르 6세는
교황이 되기 전 추기경 때 이미
여러 명의 부인을 거느렸고,
자식들도 많았어.

교황이 된 후에는 더욱 탐욕을
부렸지. 자기의 권력을 남용하여
관직을 팔기도 했어.
관직
관직
관직
관직
관직

또 재산을
빼앗기 위해
추기경을
독살하기도
했대.
정말 파렴치한
인물이었군.

또 약속을
지키는 일도
거의
없었다고 해.
어떻게
그런 인물이
교황이 될 수
있었지?

금
굽신
굽신
금

찌릿
투표함

알렉산데르 6세는 1491년 교황으로
즉위했어.

그제야 보르자를 정식 아들로 인정하고, 많은 관심을 주었어.

보르자는 아버지의 말을 잘 들었어. 자신의 뜻과 달라도 아버지의 뜻이라면 잘 순종했지.
아버지, 명령만 내리십시오. 그대로 하겠습니다.
오호! 그래. 넌 나의 충직한 아들이야.

1491년 보르자는 아버지에 의해 15살의 어린 나이로 주교에 임명되었지.
15살이 주교라고? 말도 안 돼!

그리고 피사 대학에서 로렌초 데 메디치(Lorenzo de Medici)의 아들 조반니와 함께 공부했어. 이 둘은 나이도 같았고 꿈도 같았지.
나중에 꼭 교황이 되고 말 거야.
메디치 가문을 빛내기 위해서라도 꼭 교황이 되어야지.

1493년 18살의 보르자는 교황이 된 아버지의 뜻에 의해 발렌시아 추기경으로 임명되었어.
18살이 추기경이라고? 기가 차서 말도 안 나오는군!

이때 프랑스 샤를 8세가 로마를 침공했는데, 그때 보르자는 성에 갇혀 정치적으로 위험에 처하기도 했지.

하지만 프랑스 군이 물러났을 때 용감하게 나서 프랑스 잔류군을 소탕하면서 로마 정치의 중심인물이 되었어.
로마 정치

1498년 추기경 직을 포기하였고 로마냐에 왕국을 세워 군주가 되려는 야심을 키우기 시작했어.

왕국
로마냐

프랑스의 원군과 교황의 지원으로 로마냐 일대의 크고 작은 귀족 세력을 소탕해서 막강한 세력을 구축했지.

그는 밀라노와 피렌체 공화국을 위협하여 항복과 동맹 서약을 받아 내기도 했어.
항복
동맹

그 무렵 마키아벨리는 외교 문제를 해결하기 위해 그를 만났어.

1502년 6월에 그를 처음 만났지. 처음 만남에서는 외교적 성과를 얻지 못했어.

후에 다시 그를 만났는데, 마키아벨리는 3개월 반 동안 함께 지내면서 그를 유심히 관찰했어.

그는 막강한 군사력으로 인근의 귀족 세력을 하나씩 격파했어.

군사력
귀족
귀족
귀족
귀족

보르자는 로마냐 왕국을 차지하기 위해서 많은 귀족과 용병대 대장을 자기편으로 끌어들였어.

자기편이라 할지라도 불필요하면 무자비하게 제거했지.

대표적인 것이 세니갈리아에서 일어난 사건이야. 당시 보르자 휘하에 있던 일부 귀족과 용병 대장들이 보르자를 믿지 못했어.

우리 운명은 바람 앞의 등불 같아. 사악한 보르자가 언제 우리를 죽일지 몰라.

맞습니다. 그는 필요가 없다고 판단되면 헌신짝처럼 우리를 버릴 겁니다.

우리가 힘을 합쳐야 합니다.
반 보르자 동맹을 맺도록 합시다.
좋습니다.

이 소식을 들은 보르자는 이들과 화해를 하는 척하며 세니갈리아로 사람들을 초청했어.

후후. 감히 나에게 대항하겠다고? 피의 대가를 치러 주겠어.

보르자는 그들을 불러들인 후, 무장을 해제시키고 전원 남김없이 살해했어.

사람들은 보르자의 잔인한 행동에 치를 떨었어. 반면에 마키아벨리는 그의 거침없는 행동에 남다른 평가를 내렸어.

보르자, 저 사람은 앞으로 분열된 이탈리아를 통일하고 평화를 가져오는 지도자가 될 수 있겠어.

보르자는 자기가 필요하다고 판단한 일에 대해서는 인간적인 감정을 내세워 고민하기보다는 즉각적으로 실천하는 사람이었기 때문이야.

강력한 지도자가 되려면 저 정도의 배포는 있어야지.

그러나 보르자는 마키아벨리의 바람대로 이탈리아를 강대국으로 만들 지도자가 될 운명은 아니었나 봐.

운명
찍!

아버지 교황 알렉산데르 6세와 함께 말라리아에 걸려 병석에 누워 있는 동안 로마의 정세가 변했거든.

1503년 8월 18일. 알렉산데르 6세가 세상을 떠났어.

그의 뒤를 이어 교황 비오 3세*가 재위가 올랐는데,

비오 3세를 중심으로 보르자 세력을 축출하려는 움직임이 있었어.

수근
수근

병에서 회복한 보르자는 휘하의 사병들을 이끌고 콘클라베를 장악하려 했지만 실패하고 말았어.

와 아 아
콘클라베

* 비오 3세: 재위 1503년 9월 22일 ~ 1503년 10월 18일

'콘클라베'는 가톨릭교회에서 교황을 선출하는 선거 시스템인데, 보르자는 이를 자신의 손아귀에 넣어 자신과 가까운 인물을 교황으로 내세우고자 했지.

콘클라베

비오 3세는 비록 짧은 재위였으나 보르자의 군대를 종식시키는 일을 훌륭히 해냈어.

으 아 아
보르자

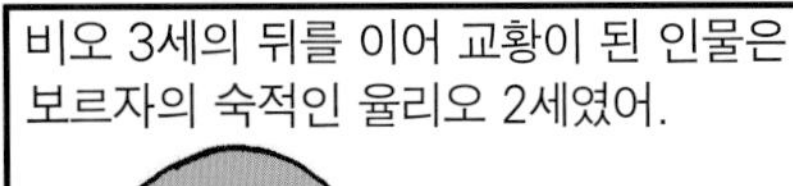
비오 3세의 뒤를 이어 교황이 된 인물은
보르자의 숙적인 율리오 2세였어.

로마의 적인
체사레 보르자를
체포하여
산탄젤로 성에
감금하시오.
네, 성하.
명대로
하겠습니다.

내가 이대로
물러설 줄 알고?
흥, 어림도 없지.

보르자는 산탄젤로 성을 무사히 탈출했어. 그는 재기하기 위해
용병 부대에 지원하여 나발 전투에서 열심히 싸웠어.
와 아 아

1507년 3월 12일. 보르자는 전투 중에 적에게
포위되어, 스물다섯 군데나 찔려 장렬하게 전사했어.
으 아 악

보르자가
용병으로
일하다가
죽었다는군.
잘 죽었군. 그렇게도
많은 사람을 죽이더니
결국 자신도 죽는군.

흠. 아까운
인물이 죽었구나.

마키아벨리는 프랑스로부터 받은 냉대와 스페인으로부터 받은
잔학한 피해를 극복하려면 이탈리아도 하루빨리 강대국이 되어야
한다고 생각했고,
이탈리아
스페인
프랑스

이를 위해서는 이탈리아가 통일되어 하나의 강력한 정부를 이루어야 하며,

짠
통일 이탈리아

또 이를 이끌 수 있는 강한 지도자가 있어야 한다는 생각을 했어. 그는 그 지도자로 체사레 보르자를 손꼽았어.

공격-!
쾅
통일 이탈리아

이것은 마치 우리나라가 일제 강점기에 잔학하고 폭력적인 일본 제국주의자들을 몰아내고, 강력한 국가를 만들기 위해서

와 아 아

일부 독립 지도자들이 일본의 지도자를 암살하거나 의병을 일으켜 일본과 대적했을 때

콰
쾅

국민들이 인간적인 감정보다는 조금은 냉혹하지만

진정으로 국가를 바로 세울 수 있는 카리스마 있는 지도자를 원하는 것과 비슷한 심정이었을 거야.

국가

그래, 자네 심정을 조금은 이해할 것 같네.

보르자의 죽음 이후에도 마키아벨리는 변함없이 피렌체를 위해 충직하게 일했어.

피렌체

그런데 1512년 마키아벨리의 신변에 큰 변화를 주는 사건이 일어났어.

교황이 스페인과 동맹을 맺고 전쟁을 하는 과정에서 피렌체가 큰 피해를 입게 된 거야.

콰
쾅
피렌체

당시 피렌체는 친 프랑스 외교 정책을 펴고 있었는데,

프랑스
피렌체

프랑스와는 앙숙인 스페인이 피렌체를 점령한 거지.

후후후. 너희들이 프랑스 편을 들었다고? 어디 혼 좀 나 봐라.
으아악

또한 스페인 군은 오랜 세월 동안 피렌체를 다스렸던 메디치 가문을 피렌체로 복귀시켰어.

스페인
메디치

메디치 가문은 1494년 프랑스의 샤를 8세가 피렌체를 침공했을 때 시민들의 반란으로 피렌체에서 쫓겨나 스페인에 살고 있었지.

자, 이제 다시 피렌체를 다스리시오. 대신 우리 스페인에게 충성을 다 해야 하오.
고맙습니다. 은혜를 잊지 않겠습니다.

피렌체로 돌아온 메디치 가문은 겉으로는 공화국을 내세웠지만 실제로는 독재 정치를 폈어.

크앙

자신들이 없는 동안에 일했던 정부의 관리들과 그에 동조한 사람들 중 일부를 제거하기 시작했지.

뻥
피렌체

마키아벨리도 제거의 대상이었지만, 정작 본인은 눈치채지 못했어. 새 정부가 들어선 이후에도 여전히 열심히 일했거든.

흥
지난번 스페인이 침공했을 때 많은 집들이 파손되었습니다. 대책을 세워야 합니다.
알았소. 고민해 보겠소.

쯧쯧, 곧 파면될 사람이 저렇게 열심히 한다고 누가 알아주기나 하나?

1512년 11월 7일. 마키아벨리는 새 정부로부터 파면을 당했어.

죽도록 열심히 일을 했는데, 왜 파면을 시키지? 저 사람들은 대충 일하면서 놀기나 했는데?
새정부
그러기에 평소에 메디치 가문 사람하고 줄을 대고 있어야지. 사람이 요령이 없어요, 요령이.

마키아벨리가 너무 정직하게 열심히 일을 했기 때문에 오히려 새로운 세력들로부터 경계 대상이 되었어.

경계대상

게다가 마키아벨리는 자신을 보호해 줄 힘센 세력이 없었어.

휘~잉

당시의 고급 관리는 대부분 명문가 출신이거나 대학 출신이었고,

명문가문
대학출신
고급 관리

그러한 배경이 메디치 가문으로부터 해고당하는 것을 막아 주었지.

떡
해고
떡
명문가문
대학출신
해고
해고

마키아벨리는 파면을 당한 후 곧 구속이 되었어.

메디치 가문의 사람을 살해하려는 음모에 가담했다는 혐의를 받은 거야.

음모

물론 오해였지. 마키아벨리는 감히 메디치 가문을 해치려는 생각을 하지 않았거든.

휙
메디치

마키아벨리는 밧줄로 묶여 24시간 동안 매달리는 고문을 받았으나 끝까지 자신의 결백을 주장했어.

나의 발에는 한 쌍의 철로 된 족쇄가 채워져 있다. 어깻죽지에는 여섯 겹의 거친 밧줄이 묶여 있다. 벽에는 큰 모기가 사방에 떼 지어 있는데 마치 나비의 무리와 같다.

살아서 다시 햇빛을 보기 어렵다는 정치범 수용소에서도 마키아벨리는 희망을 버리지 않았지.

그는 메디치 가문의 조바니 추기경에 계속해서 자신은 결백하다며 탄원서를 보냈어.

다행히 조바니 추기경이 교황 레오 10세로 등극을 했고,

그는 모든 죄수에 대해 대사령을 내렸는데, 그때 마키아벨리도 석방되었지.

감옥에서 나온 마키아벨리의 생활은 매우 궁핍했어.

재산을 모두 몰수당했고, 또한 막대한 벌금을 냈기 때문이야.
벌금

그는 아들 셋과 딸 하나를 부양해야 하는 가장이었는데, 앞길이 막막했지.

그는 산트 안드레아의 작은 농장으로 낙향하여 가족과 함께 시골 생활을 시작했어.

잘나가던 고급 관리가 43세의 한창 일할 나이에 시골에 파묻혀 기약 없는 내일을 기다리는 것은 정신적으로 매우 큰 절망감을 주었어.

마키아벨리는 어떻게 하든 가족들을 먹여 살리려고 애를 썼어.

그는 자존심을 뒤로 하고 메디치 가문에 접근하여 일자리를 얻기 위해 노력했어.
마키아벨리 저 친구는 자존심도 없어. 어떻게 자신을 내친 사람들에게 빌붙어 자리를 구하려고 하는지 몰라.
그러게 말이야. 메디치 가문은 힘과 돈으로 피렌체의 공화 정부를 무너뜨리고 독재를 하는 집안인데 말이야.

마키아벨리를 일방적으로 비난하는 것은 마키아벨리 입장에서 생각할 때는 좀 억울한 일이었어.
저기 공화정을 배신한 위선자가 지나가는군!
부끄러운 줄도 모르는 인간이야!
나는 배신자도, 위선자도 아니야.

마키아벨리는 피렌체를 다스리는 이가 누가 되든 상관하지 않았어. 그에게 중요한 것은 피렌체의 평화와 이탈리아의 통일을 이루는 일이었어.
비록 메디치 가문이라고 하더라도, 피렌체를 잘 다스리고 시민들을 배불리 먹게 하면 돼. 그리고 이탈리아의 통일을 이룩하면 되는 거야.

하지만 그의 바람과는 달리 일자리를 얻는 일은 쉬운 일이 아니었어. 그는 점점 시골 농부가 되어 갔어.

'나는 시골에서 살고 있다. 지금까지의 즐거움이란 내 손으로 콩새 덫을 만드는 정도의 것이다. 이른 새벽에 서둘러 일어나서 새 잡는 끈끈이 대를 준비하고 새장을 어깨에 메고 나간다.'

그는 해질 무렵이면 시골의 보잘 것 없는 주막에서 시골 사람과 어울려 지냈어.
주막에서 보통 주민과 푸줏간 주인, 방앗간 주인과 두 사람의 벽돌공과 마주친다. 이들과 함께 나는 해가 지도록 카드놀이를 하면서 지낸다. 돈을 거는 노름이었다.
와 하 하

나는 이렇게 해서 뇌에 곰팡이가 끼는 것을 막고, 나를 이렇게 만든 운명의 장난에 노여움을 퍼붓는다.

그러나 마키아벨리는 자신을 오롯이 세월의 흐름에 맡기진 않았어.

밖에서와는 달리 집에서는 철저하게 자기 관리를 했거든. 언젠가는 다시 중요한 일을 맡게 될 거라는 믿음을 가지고 말이야.
아빠, 글 쓰시러 가는 거예요?

그런데 왜 관복을 입고 글을 쓰시는 거예요?
응, 아빠가 정장을 입고 글을 쓰는 이유는, 옛 대가들을 겸허한 마음으로 만나 뵙기 위해서야.

그는 어두운 밤에 혼자 고요하게 고전 속의 대가들을 만났어. 이 일은 미래가 불확실한 마키아벨리에게 유일한 삶의 즐거움이 되어 주었어.
오늘은 누구를 만나 볼까? 아리스토텔레스가 좋겠군.
아리스토텔레스

나는 예의를 갖춘 복장을 하고 옛 궁전에 간다. 거기서 나는 나만을 위한 먹이를 먹는다. 나는 수줍어하지도 않고 그들과 말하고 그들의 행위의 원인을 묻는다.

그들은 나에게 대답을 해 준다. 4시간 동안 조금도 권태를 느끼지 않는다. 모든 고뇌는 잊고, 가난도 두렵지 않고, 죽음의 공포도 느끼지 않게 된다.

마키아벨리의 '궁전' 생활은 보람이 있었어. 그동안 읽은 책과 겪었던 다양한 경험을 토대로 많은 글을 썼거든!
싹
싹

그는 여러 권의 책을 출간했어. 1515년에는 《벨파고르》, 1517년에는 《안드리아》 등과 같은 문학 작품을 펴냈고,
벨파고르
안드리아

1519년에는 대표작인 《군주론》을 썼어. 그는 이 책을 통해 유럽의 정치 전통으로부터 윤리를 분리하는 일을 했어.

내가 《군주론》을 쓰면서 관심을 둔 것은 '현실에서 정치권력이 어떤 모습으로 나타나는가?' 였어.
정치 권력

그는 또한 역사서도 여러 권 집필했는데, 1531년에는 《리비우스의 로마사에 대한 논의》라는 책을 출간했어.

리비우스의 로마사에 대한 논의

1527년 6월 22일. 마키아벨리는 57살의 나이로 세상을 떠났어. 그의 시신은 산타크로체 교회의 마키아벨리 가족 예배당에 매장되었어.

불행히도 그의 묘는 돌볼 후손이 없어 오랜 세월 방치되어 지금은 흔적을 찾기 어려워.

오늘날 관광객들이 찾는 산타크로체 교회의 화려한 묘는 18세기에 영국 사람이 만든 거야.

마키아벨리의 묘비에는 '명성에 상응한 찬사를 못 받은 사람'이라는 글이 새겨져 있다고 해.

명성에 상응한 찬사를 못 받은 사람

사실 마키아벨리라는 이름이 유명해진 것은 18세기 이후의 일이야.

마키아벨리
마키아벨리
마키아벨리
마키아벨
18세기
마키아벨리

《사회계약론》으로 유명한 장 자크 루소와 같은 이가 마키아벨리의 사상을 참고하여 자신의 정치사상을 펼쳤지.

루소 씨, 고맙소. 덕분에 나의 정치 철학이 빛을 보게 되었구려.

아닙니다. 선배님 덕분에 제 생각을 더 발전시킬 수 있었지요.

루소의 사상은 프랑스 대혁명과 미국 독립 혁명에 큰 영향을 끼쳤단다. 그럼 이제부터 마키아벨리가 쓴 군주론을 공부하러 갈까?

체사레 보르자(Cesare Borgia)의 일생

《군주론》이라는 책을 이해하기 위해 꼭 알아야 할 인물이 있습니다. 바로 체사레 보르자입니다. 그는 마키아벨리가 《군주론》을 쓰면서 바람직한 군주의 모델로 생각했던 인물입니다. 과연 그를 바람직한 군주로 볼 수 있는지 한번 살펴봅시다.

열여덟 살에 추기경이 되다.

체사레 보르자는 1475년 로마에서 교황청의 차관이자 실세였던 추기경 로드리고 보르자(Rodrigo Borgia, 나중에 교황 알렉산데르 6세가 된다.)의 서자로 태어났습니다. 체사레는 아버지의 후광으로 어린 나이에도 불구하고 높은 자리에 올랐습니다. 7살 때 발렌시아 성당 참사회의 회원이 되었고, 8살 때는 로마 교황청 서기장이, 9살 때는 간디아 예수회 수도원장, 10살 때는 카르타헤나의 재무장관이 되었습니다. 그리고 그는 1493년 18살의 어린 나이로 추기경이 되었습니다.

교황 알렉산데르 6세

권모술수에 능한 발렌티노 공작이 되다.

체사레는 1489년 로마를 떠나 페루자에 있는 사피엔차 대학에서 공부했습니다. 이곳에서 그는 이탈리아의 여러 도시 국가들의 정치가를 만나 정치적인 야망을 키웠습니다.

1491년에는 피사 대학에서 법학을 공부했는데 그곳에서 피렌체 공화국의 지배자인 로렌초 데 메디치(Lorenzo de Medici)의 아들 조반니와 함께 공부하면서 나중에 크면 교황이 되겠다는 꿈을 가졌습니다.

1498년 23살이 된 체사레는 추기경 직을 내놓고 자신의 이름(체사레는 이탈리아 어로 카이사르)대로 위대한 군주가 되기로 결심했습니다. 같은 해 체사레는 아버지로부터 발렌티노 공작이라는 작위를 받았습니다. 그 후 체사레는 로마 주변의 약한 도시 국가와 영지를 무력으로 점령해서 세력을 키웠습니다.

체사레 보르자

체사레는 책략과 기만으로 남의 땅을 정복했습니다. 그는 심복들을 시켜서 상대 지도자들을 암살하고, 적의 장군들을 매수하여 반역자로 만들었습니다. 그래서 라파엘로 마타라초(Rafaello Matarazzo)라는 작가는 '당시 발렌티노 공은 이탈리아에서 으뜸가는 우두머리였으나 이는 군사를 잘 이해했기 때문이 아니라 책략과 돈의 힘을 빌린 덕택이었다. 그는 전쟁을 배신으로 타락시켰고 모두가 그의 이런 점에 대해 알게 되었다.'라고 말했습니다.

이루지 못한 꿈

1501년 여름, 체사레는 프랑스 국왕 루이 12세를 자기편으로 끌어들이는 데 성공했습니다. 그 후 체사레는 프랑스의 군사력을 토대로 더욱 적극적으로 파렴치한 속임수와 기만적인 방법을 사용하여 이탈리아 전 지역을 장악하기 시작했습니다. 1501년에는 로마냐 지방을 정복했고, 이어서 나폴리 왕국을 침입했으며, 밀라노 공국과 피렌체 공화국를 위협하여 항복과 동맹 서약을 받아냈습니다. 아버지 알렉산데르 6세는 이러한 아들의 정복 사업을 적극적으로 후원했습니다.

루이 12세

하지만 그의 위세는 아버지의 죽음과 함께 무너졌습니다. 1503년 8월 18일 알렉산데르 6세가 말라리아에 걸려 세상을 떠났고, 보르자 가문의 숙적인 율리오 2세가 교황으로 즉위했습니다. 율리오 2세는 체사레의 직위를 모두 빼앗고 산탄젤로 성에 감금시켰습니다. 그러나 가만히 있을 체사레가 아니었습니다. 그는 에스파냐 카스티야 메디나 델 캄포에 있는 라 모타 요새에 이감된 후 탈출에 성공했습니다. 그리고 나바라 왕국으로 갔습니다. 그는 나바라 왕국의 총사령관으로 임명되어 에스파냐와 전쟁을 벌일 예정이었습니다. 하지만 나바라 왕국의 친에스파냐 세력의 배신으로 전쟁을 하지 못했습니다. 1507년 체사레는 결국 적에게 포위되어 몸에 스물다섯 군데나 자상을 입고 세상을 떠났습니다.

3장

국가의 종류와 군주국의 특징

영국은 의원내각제를 하는 민주주의 국가라서
공화국으로 생각하기 쉽지만 형식적이나마
아직 여왕이라는 군주가 있는 나라로
공화국이 아니라 군주국이란다.

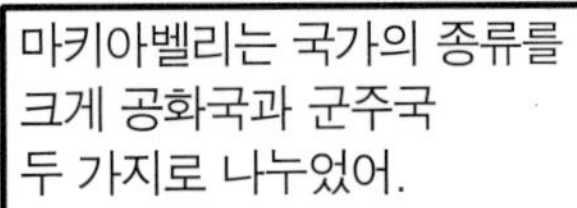
마키아벨리는 국가의 종류를
크게 공화국과 군주국
두 가지로 나누었어.

1. 공화국
2. 군주국

첫째로 공화국은 군주가 존재하지
않은 나라로,
공화국

주권을 가진 국민이 직접 또는 간접
선거로 국가 원수를 뽑아.
기표소
투표함

우리나라도 공화국이야.
대한민국
짝 짝짝~♬
짝~짝

우리나라 헌법을 보면 우리나라를 민주공화국으로 정의하고
있어.
대한민국 헌법
제1조
1. 대한민국은
민주공화국이다.
2 대한민국의 주권은 국민
에게있고 모든 권력은
국민으로부터 나온다.

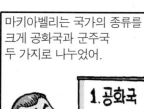

공화국은 형태에 따라 의원내각제, 대통령 중심제, 이원집정부제 등이 있는데

의원내각제를 하는 나라로는 독일, 이탈리아, 인도 등이 있고,

독일
인도
이탈리아

대통령 중심제를 하는 나라로는 우리나라, 미국 등이 있어.

한국
미국

이원집정부제는 대통령과 총리가 권력을 나누는 체제로 프랑스, 불가리아 등이 있지.

프랑스
불가리아

공화제를 의미하는 영어 'republic'은 '공공의 것'을 뜻하는 라틴어인 (res publica)에서 나왔다고 해.

공공의 것 = res publica

'republic'은 '공화제'로 번역되었는데, 공화(共和)라는 말은 중국 주나라 때 여왕(厲王)이라는 폭군을 몰아내고, 제후들이 힘을 합쳐 나라를 다스렸다는 '공화시대'에서 나온 말이라고 해.

공화 시대

둘째로 군주국이란 국가의 주권이 군주 한 사람에게 있는 나라를 말해.

군주국

군주의 뜻대로 나라를 다스리지. 옛날에는 대부분 군주국이었어.

마키아벨리는 군주국을 세습 군주국, 혼합 군주국, 신생 군주국, 시민 군주국 등으로 나누었어.

군주국
세습 군주국
혼합군주국
신생군주국
시민군주국

세습 군주국(世襲 君主國)

세습 군주국은 통치자 가문이 있고, 통치자 가문의 사람들이 세습(世襲)하여 통치하는 국가를 말해.

왕위

우리가 알고 있는 군주국이 대부분 세습 군주국이야.

A군주국
B군주국
C군주국

우리나라의 '조선'도 세습 군주국이었지. '이(李)'씨 성을 가진 사람들이 대를 이어가며 왕이 되어 다스렸던 나라였거든.

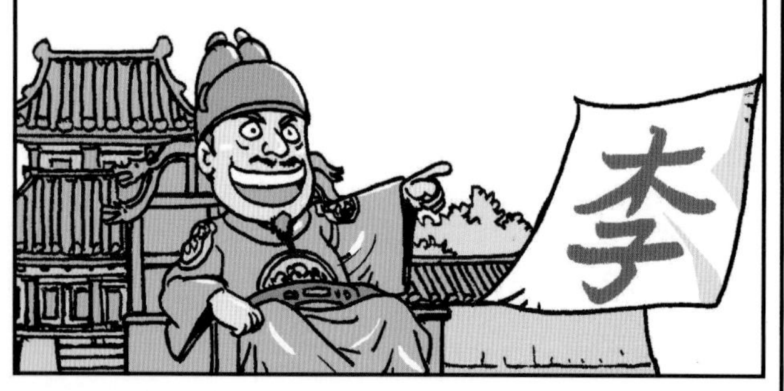
李

세습 군주국은 새로 만든 군주국보다 다스리기가 훨씬 쉬워.

세습군주국
새 군주국

군주가 부지런하고,

불가항력의 일로 왕위를 빼앗기지만 않는다면

왕위

언제나 군주의 자리를 잘 지킬 수가 있어. 그래서 조선과 같은 나라는 왕조가 오백 년이나 이어졌어!

왕조500년

마키아벨리는 세습 군주국의 경우 군주가 왕위나 땅을 빼앗긴다 하더라도

왕위

그것을 빼앗은 사람이 사소한 잘못이라도 저지르면

왕위

그걸로 쉽게 다시 왕위나 땅을 되찾을 수 있다고 했어.

왕위

그러한 대표적인 예로 이탈리아의 페라라(Ferrara) 공국을 다스렸던 두 명의 페라라 공작을 들었어. 에스테 가문의 에르콜 1세와 알폰소 1세가 바로 그들이야.

에르콜 1세는 1484년 베네치아의 공격을,

알폰소 1세는 1510년의 율리오 2세 교황의 공격을 각각 받았으나, 그들은 굴복하지 않았어.

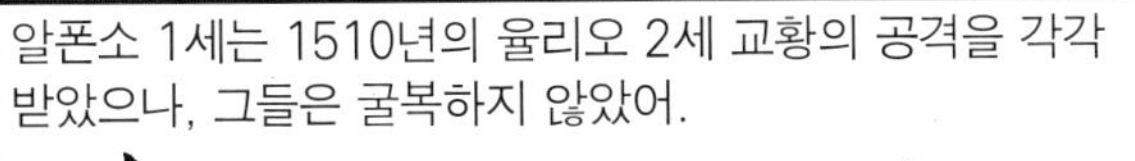

그 대가로 몇 개의 도시를 잃었지만 결국 되찾을 수 있었지.

도시
도시
도시
율리오 2세 교황

이런 일이 가능했던 것은 페라라 공작이 그 지역에서 대대로 기반을 다져 온 가문의 지배자였기 때문이야.

페라라 공작

이것을 보면 혈통에 의해 정통성을 인정받은 군주는 백성들로부터 더 사랑받는다는 것을 알 수 있고,

미움을 살 만큼 상식 밖의 악행만 저지르지 않는다면 왕위를 얼마든지 유지할 수 있다는 것을 알 수 있어.

혼합 군주국(混合 君主國)

이미 있던 군주국이 어떤 곳을 정복하고 병합하여 만든 군주국을 혼합 군주국이라고 해.

군주국
군주국

혼합 군주국은 세습 군주국과는 달리 나라 운영에서 여러 가지 어려움을 많이 겪어.

휘
청
나
라
운
영

정복을 당한 지역의 사람들이 자신들의 삶을 전보다 더 좋게 하기 위해 언제든지 군주에 대항하여 무기를 들고 싸울 수 있기 때문이야.

와
아
아

이런 일이 일어나는 까닭은 새로운 군주가 정복을 하는 과정에서 정복지의 백성들에게 큰 피해와 고통을 주는 일이 흔하기 때문이야.

으
아
악

군주가 권력을 장악하는 과정에서 해친 사람들은 모두 군주의 적이 되거든.

또한 군주가 권좌에 오를 때 협조해 준 사람들도 결국에는 군주의 적이 될 수밖에 없어.

왜냐하면 군주가 그들이 원하는 것을 모두 들어줄 수 없기 때문이야.

애게….

그렇다고 해서 그들을 억압할 수도 없어. 군주는 그들에게 보답할 의무가 있기 때문이지.

돈 줘~!

군주는 아무리 강한 군대를 갖고 있다 하더라도 지역 주민들의 후원을 받아야 해.

그렇지 않으면 금방 정복지를 잃게 돼.

휙
정복지

대표적인 예가 프랑스의 루이 12세야.

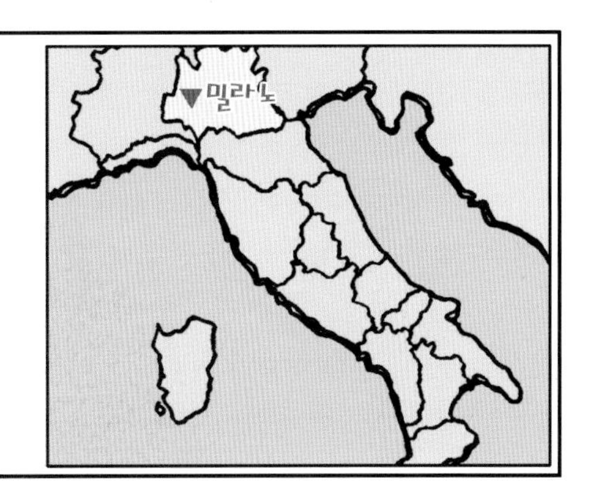
루이 12세는 밀라노를
신속하게 정복했으나
금방 잃었어.
밀라노

루이 12세에게 성문을 열어 주었던
밀라노의 백성들이
밀라노

루이 12세로부터 보상을 받을
것이라는 기대와 희망을 잃게 되자

곧바로 루이 12세에게 대항했기
때문이야.

하지만 반란이 일어났던 정복지를 다시 정복하면 이번에는
쉽게 잃지 않아.
또야!
밀라노

왜냐하면 첫 번째 반란 때의 경험을 교훈삼아 두 번째
정복 때는 나름대로 지혜로운 방법을 찾기 때문이야.

루이 12세도 그랬어.

루이 12세가 두 번째로 밀라노를
점령했을 때는 반역자를 확실하게
징벌하고,

위험 인물들을 배제하는 등 자신의
취약점을 보강했거든.

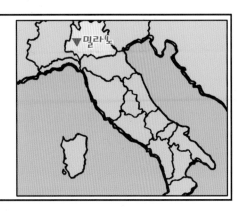

그래서 루이 12세는 밀라노를 10년 이상 통치할 수 있었지.

10
년
밀라노

물론 나중에 로마 교황의 군대, 스페인 군대, 베네치아의 동맹군이 힘을 합쳐 덤벼들었을 때는 어쩔 수 없이 물러나긴 했지만 말이야.

밀라노

그럼 여기서 다른 나라를 정복한 후에 어떻게 하면 정복한 나라를 잘 다스리고 자신의 나라로 만들 수 있는지 알아보자.

마키아벨리는 두 가지 경우로 나누어 설명했어.

2가지
1가지
군주론

첫 번째는 정복을 한 나라와 정복을 당한 나라가 같은 지역에 있고, 같은 종류의 언어를 사용하는 경우야.

어떡할겨~!
항복할겨~!

이 경우는 정복자가 정복지를 다스리기란 별로 어렵지 않아.

말 잘
들을겨?
응~!

대표적인 예로 프랑스에 오랫동안 편입되었던 부르고뉴, 가스코뉴, 노르망디 등을 들 수 있어.

브르타뉴
노르망디
부르고뉴
가스코뉴

이 지방들은 프랑스와 언어의 차이는 조금 있어도 풍습이 매우 유사해서 프랑스와 쉽게 공존할 수 있었지.

프랑스

이런 정복지를 영구적으로 지배하려면

종전까지 그 나라를 다스리던 군주의 혈통을 단절시키는 것만으로 충분해.

대신에 새로운 군주는 백성들의 전통적인 생활 양식을 지켜 주고

하 하 하

기존 법률과

조세 제도를 바꾸지 않는 것이 좋아.

법과
세금은
그냥
그대로!

그렇게 하면 새로운 정복지는 매우 짧은 기간 안에 정복자의 나라에 병합되어 하나의 나라가 될 수 있을 거야.

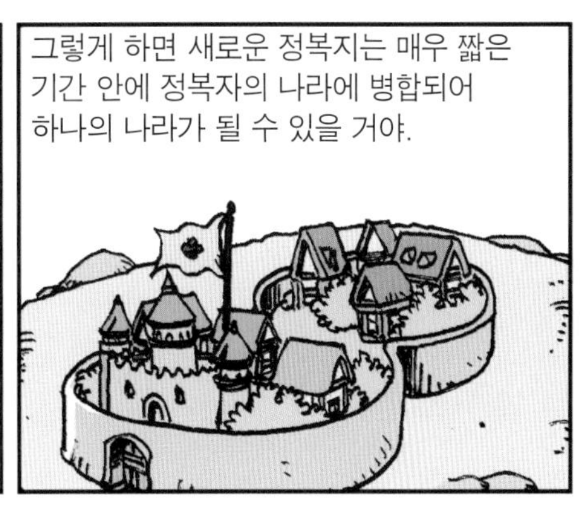

두 번째는 언어와 풍습, 그리고 법률 등이 다른 지역을 지배하는 경우야.

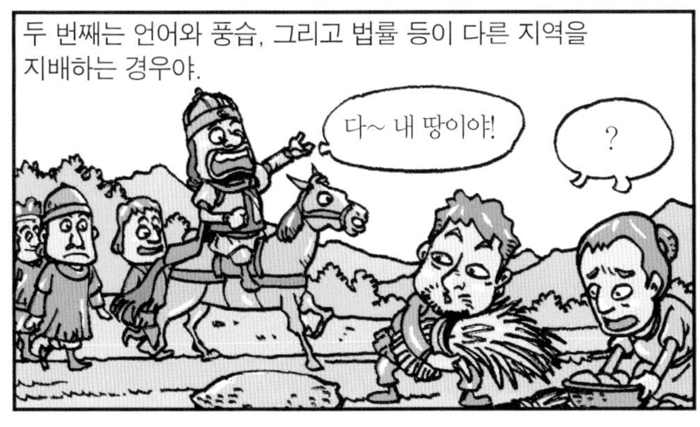
다~ 내 땅이야!
?

이런 정복지는 다스리는 데에 어려운 점이 많아.

내 땅에서
나가 줄래!
?
?

이 경우에 정복지를 지배할 수 있는 가장 효율적인 방법은 정복자가 스스로 정복지에 가서 사는 거야.

!

군주가 현지에 살면 말썽거리가 생겼을 때 초기에 발견하고 신속하게 대처할 수 있기 때문이야.

!

만약 군주가 그곳에 살지
않는다면
?

문제가 매우 심각해진 뒤에나 알게
되고,
후다닥

그 경우에는 손을 쓸 기회를 놓치게
될 거야.
으아아

좋은 예로 그리스를 정복한
터키를 들 수 있어.
와아아

1453년 터키의 정복왕 메흐메트
2세(Mehmed II)가 콘스탄티노플을
함락시키고

그리스와 발칸 반도까지 세력을
넓혔어.
터키
그리스
에게해
터키

이때 터키의 정복자들은 정복지에 이주하고 정착하여
정복지를 다스렸는데

그 덕분에 터키는 19세기까지 피정복지에 영향력을
발휘했지.
하하하
19
세기
피정복지

언어와 풍습, 그리고 법률 등이 다른 지역을 지배하는
또 다른 방법은 정복지의 중요한 지점에 둔전병을
파견하는 거야.

둔전병은 로마 인들이 정복지를 관리하는 방법으로,
군대를 주둔지에 정착시켜 농사를 짓게 하다가 전시에는
전투병으로 동원하는 제도를 말해.

이 방법은 비용이 적게 들어 정복지를
효율적으로 관리할 수 있어.

유일한 문제점은 둔전병과 그의 가족들이 정복지에서 사람들의
경작지와 집을 빼앗을 때 생기는데,
뻥

둔전병들에게 집과 땅을 빼앗기는 사람들은 국가
전체적으로 볼 때 작은 부분에 지나지 않아.
후욱
야이~
삐리리야!

실제로 이들은 빈곤하고 분산되어 있기 때문에
새로운 군주에게 어떠한 해도 끼치기 어려워.
?

만약 둔전병 대신에
정식 군대를 주둔시킨다면
막대한 비용이 들어.

군주는 국고 수입의 대부분을 주둔군
유지비로 사용해야 할 거야.

이렇게 되면 영토를 획득한 일이
오히려 군주에게 손해가 되는 일이지.
낑
영토.
낑

더욱이 군대가 여러 주둔지로 이동하는 과정에서 정복지
지역에 큰 피해를 주게 되므로 피정복민들은 주둔군을 매우
싫어하게 될 거야.
으아악

그 결과 피정복민은 불만을 가지고 주둔군을
적으로 간주하게 되겠지.

뿐만 아니라 피정복민들은 비록 패배하여 제압당하고 있다고는 하나

그래도 그들은 자신의 조국에 머무르고 있으므로

언제나 정복자에게 피해를 줄 수 있는 잠재적인 적이라고 할 수 있어.

조국

한편, 풍습을 달리하는 지역을 다스릴 경우에는

?

군주가 인접한 약소국가들을 지켜주는 보호자 역할을 해야 해.

약소국
약소국
약소국

그리고 무슨 일이 있어도 자기 나라와 맞먹는 강력한 외부 세력의 개입을 허용해서는 안 돼.

대체로 어느 강력한 군주가 외부에서 침입해 오면

비켜!

그 즉시 그 지방의 약소국은 자기네들을 지배해 온 군주에 대한 원한 때문에 새로운 외부 세력에 쉽게 동조해.

찰싹
찰싹

따라서 이런 약소국들은 의외로 쉽게 점령할 수 있어.

약소국들은 기꺼이 그 지방을 정복한 강한 나라와 빨리 결속을 하고자 하기 때문이야.

그러나 쉽게 자신들에게 동조를 하는 약소국이라고 하여 함부로 큰 세력이나 권위를 주어서는 안 돼.

척
척

만약에 이런 주의 사항을 지키지 않는다면 정복자는 자신이 획득했던 것을 금방 빼앗기게 돼.

퍽
퍽

아니면 정복지를 유지하는 동안 끊임없이 생기는 여러 문제점 때문에 골치가 아플 거야.

끙
문제
문제

방대한 식민지를 거느렸던 로마 제국은 어떤 지역을 점령할 때 자신들의 이런 방침을 잘 지켰어.

정책

그들은 둔전병을 파견하여 약소국에 대해서는 세력의 확대를 억제하는 동시에 관대하게 대했어.

반면에 강대국에 대해서는 언제든지 강력하게 응징하는 한편

쾅
쾅
강대국

자신들의 점령지에는 어떤 강력한 외부 세력도 추종 세력을 규합하지 못하도록 했어.

퍽

로마 인들은 현명한 군주라면 누구라도 당연히 지켜야 할 일을 원칙대로 잘 지킨 거야.

원칙

현명한 군주란 단순히 눈앞에 보이는 문제뿐만 아니라

문제
분쟁

미래에 있을 분쟁에 대해서도 미리 예비해야 하며,

펑

이런 문제들을 타개하기 위해 모든 노력을 기울여야 해.

군주가 분쟁을 미리 파악하고 있을 경우에는 쉽게 대책을 세울 수 있고 시정할 수 있지만
분쟁

위험이 코앞에 닥쳐올 때까지 수수방관하고 있다면 어떠한 대책도 소용이 없게 되고,
데굴

결국에는 난국을 타개할 수 없게 돼.
쿠앙

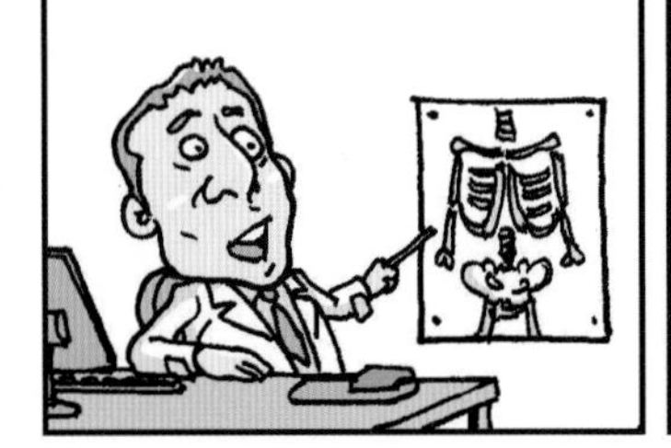
의사들이 하는 이야기를 들어 보면, 폐질환은 조기에 발견하기는 어렵지만 치료하기는 어렵지 않다고 해.

하지만 빠른 시일 안에 손을 쓰지 않으면 증세가 금방 악화된다고 해.
헉
헉

그때 가서는 병은 쉽게 발견되겠지만 치료하기는 어렵게 되지.
콜록

마키아벨리는 국가의 정치도 마찬가지라고 했어.
국가 정치!

로마 인들은 단순히 전쟁을 피하기 위해서 재난의 여지를 남겨 두는 법이 절대 없었어.

로마 인들은 전쟁이란 어차피 피할 수 없는 것이고
전쟁

뒤로 미루다 보면 적을 이롭게 할 뿐이라는 사실을 너무나 잘 알고 있었기 때문이야.
퍽
퍽

로마 인들은, 오늘날 아는 체하는 사람들이 입버릇처럼 이야기하는
줄줄
'시간이 모든 것을 해결해 준다.'는 식의 방법을 좋아하지 않아.
퍽
퍽
오히려 그들은 자신의 역량과 사려 깊은 분별력으로 해결 방법을 찾으려고 했어.

왜냐하면 시간은 모든 것을 가능하게 하는데, 선이나 악을 구분 없이 몰고 오기 때문이야.

시간

악

선

그럼 지금부터 로마 인들과 반대의 정복 정책을 폈던 프랑스의 왕 루이 12세에 대해 살펴보자.
?

루이 12세가 이탈리아를 침공한 것은 롬바르디아 영토 절반에 대한 지배권을 획득하고자 했던 베네치아의 욕심 때문이었어.
롬바르디아
베네치아
파르마
투스카니

그러니 이 일로 루이 12세를 비난하는 것은 옳지 않아.

루이 12세는 이탈리아에 자신의 기반을 구축하고자 했지만, 이탈리아에는 자기편이 아무도 없었어.
NO-!
이탈리아
영구없다!
가라-가!
오지 마.

또한 이탈리아를 괴롭혔던 같은 프랑스의 왕, 샤를 8세 때문에 이탈리아의 성문은 굳게 닫혀 있었지.
이탈리아

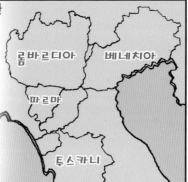

루이 12세는 이런 상황 속에서 지푸라기라도 잡으려는 심정으로 상대를 가리지 않고 우호 관계를 맺었지.

덕분에 루이 12세는 롬바르디아를 장악하는 데 성공했어.
롬바르디아
베네치아
파르마
투스카니
덥석

그러자 제노바가 곧 항복했고,
제노바

피렌체 공화국도 그의 편이 되었지.
피렌체

그리고 나머지 도시 국가들의 군주들도 앞다투어 루이 12세의 우방이 되고자 했어.
우르르

그제야 비로소 베네치아 공화국은 자신들의 행동이 어리석었음을 깨달았어.
아이구~
베네치아

그들은 롬바르디아의 영토 일부를 차지하려다가 루이 12세를 이탈리아로 불러들여
어흥
고양인 줄 알았는데 호랑이 새끼네?

그를 이탈리아 국토의 2/3를 지배하는 정복자로 만들어 주는 잘못을 저질렀기 때문이지.
휘청
이탈리아

하지만 마키아벨리는 루이 12세가 자기 관리를 잘하지 못해 이탈리아에서 애써 쌓아 올린 영향력을 모두 잃게 되었다고 지적했어.

루이 12세가 모든 동맹국들의 보호자로 군림했더라면

이탈리아에서 그의 명성과 영향력은 쉽게, 또 아주 오래 유지할 수 있었을 거야.
long long time
이탈리아

그의 새로운 우방들은 수적으로는 많았을지 몰라도 하나같이 모두 약소국이었기 때문이야.

어떤 나라는 교회에 대해, 어떤 나라는 베네치아에 대해 위협을 느끼고 있었기 때문에 그들은 프랑스에 의지하지 않을 수 없었을 거야.

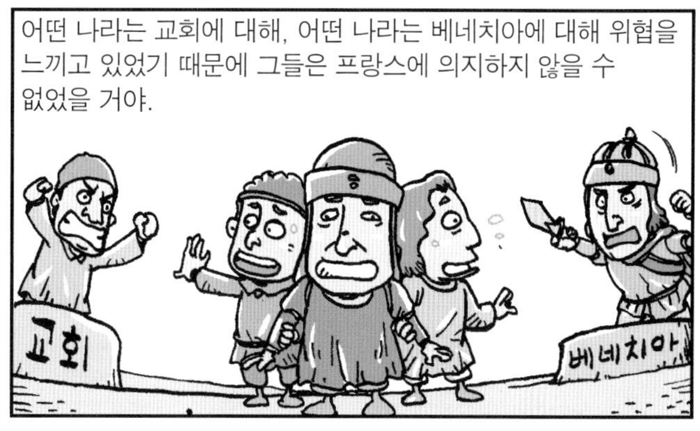
교회
베네치아

따라서 만약 루이 12세가 이들 국가의 힘을 잘 이용했더라면

삐 삐 삐

당시 강대국이었던 스페인 등에 맞서서 자신의 위치를 쉽게 지킬 수 있었을 거야.

와 아 아
스페인

그러나 루이 12세는 밀라노에 입성하자마자 로마냐를 점령하려는 교황 알렉산데르 6세를 도와줬어.

우 르 르
로마냐

이것은 마키아벨리가 앞에서 말한 정복지 관리 원칙에 어긋나는 일이었어.

정복지 관리의
원칙

루이 12세는 잘못된 결정으로 그의 동맹들과 보호를 요청했던 세력들을 스스로 버리는 결과를 만들고 말았어. 결국 그는 스스로 자신의 힘을 약화시키고 말았지.

안뇽!

또한 루이 12세는 교권을 갖고 있는 로마 교회에 대해 막강한 세속권을 부여하여 로마 교회의 세력을 강화시켜 주었어.

루이 12세가 로마 교황과 손을 잡은 이유는 크게 두 가지였어.

첫째는 첫 번째 왕비와 이혼을 하기 위해서였어. 당시에 왕이 이혼을 하려면 교황의 특별 허가가 있어야 했지.

허가

루이 12세가 첫 번째 아내와 이혼하려고 했던 까닭은 브르타뉴 땅을 갖기 위해서였어.

브르타뉴
프랑스

샤를 8세의 미망인인 브르타뉴의 앤과 결혼을 해야만 그 땅을 차지할 수 있었거든.

두 번째 이유는 루이 12세가 총애하는 루앙의 대주교 조르주 당브와주를 추기경으로 만들기 위해서였어. 그러려면 교황의 지지가 절대적으로 필요했지.

yes
추기경

대신 루이 12세는 교황이 필요로 하는 조건을 들어주어야 했던 거야.

조건

교황 알렉산데르 6세는 로마냐 땅을 얻기를 원했어.

로마냐

교황의 아들 체사레 보르자도 마찬가지였지.

흐 흐
로마냐

루이 12세는 교황의 조건을 들어주기 위해서 로마 교황의 군대가 로마냐를 치는 데 협조했고,

우르르
로마냐

자신은 나폴리 원정을 맡았어.

아 아
와
나폴리

한 번의 실수는 계속 다른 실수를 유발시켰지.

와르르

루이 12세는 알렉산데르 6세의 야심에 제동을 걸고 교황이 토스카나 지방의 지배자가 되는 것을 막기 위해 이탈리아를 침략해야 했어.

이탈리아

또한 루이 12세는 나폴리 왕국을 에스파냐 왕과 나누어 가지고자 했어.

나폴리

루이 12세는 자기가 독점적으로 영향력을 끼칠 수 있었던 이탈리아에 교황이나 에스파냐 왕과 같은 경쟁자를 스스로 끌어들인 셈이 된 거야.

이탈리아

이는 그 지역에서 루이 12세에게 불만을 품고 있는 자들에게 강력한 힘을 보태 주는 경쟁자들을 모셔 온 거나 다름이 없는 일이었어.

또한 나폴리 왕국에는 루이 12세 자신에게 충성을 바칠 군주를 남겨둘 수 있었지만 오히려 그를 내쫓고,

나폴리

언제든지 루이 왕 자신을 배신할 수 있는 사람을 대신 앉혀 놓았어.

빠샤!

지금까지 일들을 정리해 보면, 루이 왕은 다섯 가지 잘못을 저질렀어.

첫째, 그는 약소국가를 지켜 주지 않고 무력화시켰어.

둘째, 다른 권력자(로마 교황)의 세력을 이탈리아에서 확장시켰어.

이탈리아

셋째, 막강한 외국 군주(에스파냐 왕)를 이탈리아에 끌어들였어.

쩍!
이탈리아

넷째, 그가 정복지에 상주하지 않았어.

정복지

다섯째, 그는 정복지에 둔전병을 파견하지 않았어.

?
정복지

루이 12세가 로마냐 지방을 알렉산데르 6세에게 양보하고

로마냐

나폴리 왕국을 에스파냐 왕에게 양보한 것을 두고,

나폴리

전쟁을 피하기 위해서였다고 말하는 사람이 있을 거야.

전쟁

하지만 그건 잘못된 생각이야.

단순히 전쟁을 피하기 위해 자신의 이익을 남에게 양보하고, 그로 인해 세상이 무질서해지도록 둔다는 것은 있을 수 없는 일이야.

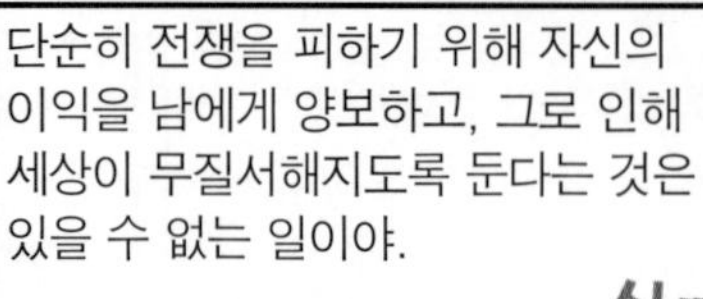

시끌
시끌

전쟁이란 피할 수 없는 일이고, 계속 미루다 보면 그야말로 손해만 볼 뿐이거든.

전쟁

루이 12세가 롬바르디아를 잃은 것은 그가 정복지를 지키고자 노력한 군주들이 수립해 놓은 원칙을 하나도 준수하지 않았기 때문이야. 당연한 결과였지.

롬바르디아
원칙
원칙

알렉산데르 6세 교황의 아들 체사레 보르자가 로마냐 지방을 점령하고 있을 때,

와
아
아
로마냐

마키아벨리는 낭트에서 루앙 대주교와 루이 12세의 정복지 정책에 대해 이야기를 나눈 적이 있어.

정복지
정책

루앙 대주교가 이탈리아 인들이 전쟁에 대해 아무것도 모른다고 하자 마키아벨리는 프랑스 인들이 정치에 대해 너무 모른다고 응수했지.

옥신
각신
이탈리아!
프랑스!

또한 마키아벨리는 프랑스 인들이 정치를 아는 사람들이었다면 로마 교회가 그렇게 막강해지도록 두지는 않았을 거라고 했어.

쾅
쾅
정치
프랑스
로마 교회

그리고 마키아벨리는 에스파냐가 강력한 세력으로 성장하게 된 것은 다름 아닌 프랑스의 영향력 때문이고, 이로 인해 루이 12세의 세력이 이탈리아에서 몰락하게 된 거라고 했어.

훅
훅
살려..
에스파냐
이탈리아

마키아벨리는 루이 12세의 경험에서 중요한 사실을 알 수 있다고 했어.

그것은 남을 강하게 만들어 주는 사람은 결국에는 자신을 멸망시킨다는 거야.

꼴깍!

다음 장에서는 알렉산드로스 대왕의 후계자들이 어떻게 정복지를 잘 다스렸는지 알아볼 거야.

4장

메디치 가문의 사람들

마키아벨리는 《군주론》을 메디치 가문에 헌정했습니다. 메디치 가문은 14세기 말에서 18세기 중기까지 피렌체 공화국을 실질적으로 지배했던 가문입니다. 메디치 가문은 예술과 문화를 사랑하여 예술가들과 과학자들을 적극적으로 후원하여 피렌체가 르네상스의 중심지가 되는 데 큰 역할을 했습니다. 메디치 가문을 대표하는 인물들을 살펴봅시다.

메디치 가문의 궁전인 팔라초 피티

조반니 디 비치 데 메디치(Giovanni di Bicci de Medici, 1360~1429)

조반니 디 비치는 메디치 가문의 시조라고 할 수 있습니다. 조반니 디 비치는 당시 신성 로마 황제였던 지기스문트(Sigismund)가 로마 교황 요한 23세를 하이델베르크 성에 유폐시키고 거액의 벌금을 부과했을 때 교황의 몸값을 대신 빌려 주었습니다. 요한 23세는 다음 해 세상을 떠났고 조반니 디 비치는 거액의 부실 채권을 떠안았습니다. 하지만 이 일을 계기로 메디치 가문이 운영하는 은행의 의리와 신용이 세상에 널리 알려지게 되었고, 로마 교황청의 주 거래 은행이 되었습니다. 그 후 메디치 가문의 은행들은 유럽의 귀족들에게도 신임을 얻었고 크게 번성하기 시작했습니다.

코시모 데 메디치(Cosimo de Medici, 1389~1464)

코시모는 조반니 디 비치의 아들입니다. 그는 유럽의 16개 나라에서 메디치 은행을 운영했으며, 교황청 자금의 유통을 맡아 막대한 재산을 모았습니다. 코시모는 스스로 인문학을 공부하여 영혼을 잃어버리지 않는 참된 경영자로 살고자 노력했습니다. 그는 유럽과 비잔틴 제국에 흩어져 있는 고문서를 수집하는 데 돈을 아낌없이 사용했고, 이렇게 모은 고문서를 산 마르코 수도원에 도서관을 만들어 보관했습니다. 이 도서관은 인문학 지식의 창고로 르네상스를 일으키는

코시오 데 메디치 1세

군주
의
성품

데 큰 역할을 했습니다. 그는 한때 피렌체의 서민들의 편에 서서 귀족들과 대립하다가 추방을 당하기도 했지만 다시 피렌체의 정권을 장악하여 피렌체 공화국의 발전에 크게 기여했습니다.

로렌초 데 메디치(Lorenzo de' Medici, 1449~1492)

로렌초 데 메디치는 코시모 데 메디치의 손자입니다. 피렌체의 군주로 뛰어난 정치력과 외교력을 발휘하여 피렌체와 메디치 가문의 최고 번영기를 가져왔습니다. 또한 그는 학문을 장려하고 보호하기 위해 많은 돈을 썼습니다. 로렌초는 무명의 길거리 조각가였던 미켈란젤로를 가문의 양자로 입양했고, 레오나르도 다 빈치와 보티첼리 등을 지원하는 등 인재를 소중히 여겼습니다. 덕분에 피렌체는 르네상스의 최고 중심지가 되었습니다. 그러나 그는 은행업을 소홀히 여기고, 사람을 잘못 쓰는 등의 실수를 저질러 메디치 가문이 몰락하는 실마리를 제공하기도 했습니다.

로렌초 데 메디치

조반니 디 로렌초 데 메디치(Giovanni di Lorenzo de' Medici, 1475~1521) **- 교황 레오 10세**

제217대 로마 교황(재위: 1513년 3월 9일 ~ 1521년 12월 1일)이 된 인물입니다. 그는 재위 기간 중에 성 베드로 대성전의 건축 기금을 마련하기 위하여 면죄부 반포를 승인했습니다. 이로 인해 마르틴 루터가 95개조 반박문을 발표했고 종교 개혁이 촉발되었습니다.

가운데 앉아 있는 이가 레오 10세.(〈레오 10세와 두 추기경의 초상〉, 라파엘로)

4장

군주국은 어떻게 다스리는 것이 좋은가?

군주국

알렉산드로스는 기원전 356년 ~ 기원전 323년에 살았던 마케도니아의 왕이었어.

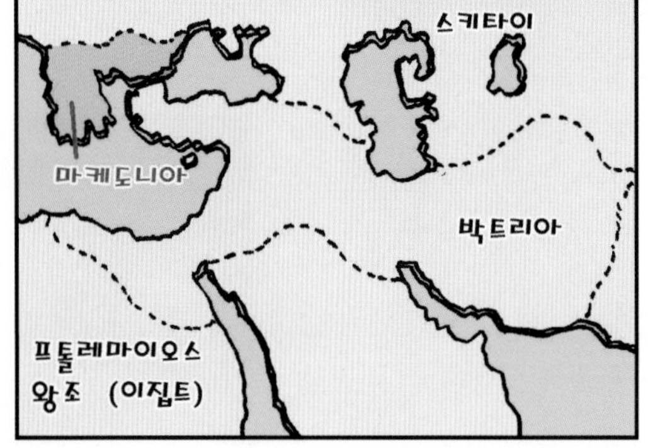
스키타이
마케도니아
박트리아
프톨레마이오스 왕조 (이집트)

그는 알렉산드로스 3세라고도 하는데 우리나라에서는 알렉산더 대왕으로 더 많이 알려져 있지.

알렉산드로스는 기원전 336년에 왕위에 올랐고, 20대의 젊은 나이로 제국을 건설했어.

그는 인류 역사상 어떤 왕보다 넓은 땅을 정복했으며,

!
끝이없는땅

어떤 왕보다 넓은 지역에 자신의 정신을 담은 문화, 즉 헬레니즘 문화를 퍼뜨렸어.

알렉산드리아

기원전 334년 알렉산드로스는 보병 32,000여 명과 기병 5,100여 명을 이끌고 페르시아로 진군하여 다리우스 3세를 몰아내고 페르시아 제국을 완전히 정복했어. 그리고 곳곳에 자신의 이름을 따 알렉산드리아라는 도시를 건설했지.

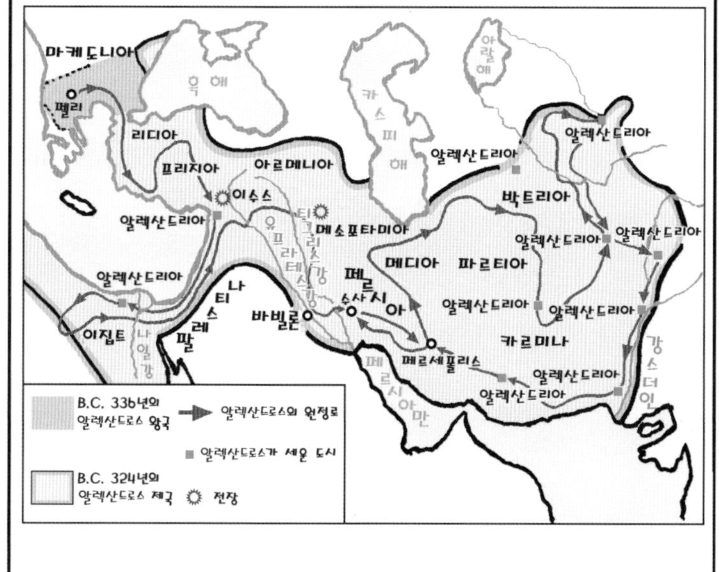

마케도니아
펠라
흑해
카스피해
아랄해
리디아
프리지아
아르메니아
이수스
알렉산드리아
티그리스강
유프라테스강
메소포타미아
박트리아
메디아
파르티아
페르시아
수사
바빌론
팔레스티나
이집트
나일강
페르세폴리스
카르미나
페르시아만
인더스강
B.C. 336년의 알렉산드로스 왕국
알렉산드로스의 원정로
알렉산드로스가 세운 도시
B.C. 324년의 알렉산드로스 제국
전장

그는 여기에 그치지 않고 세상의 끝까지 가려는 자신의 열망을 쫓아 인도까지 진출했어.

와 아 아
인도

하지만 그곳에서 알렉산드로스는 오랜 세월 전쟁에 지친 부하들의 반대에 부딪혀 더 이상 나아가지 못하고 철군해야 했어.

휴우
인도

바빌론으로 돌아온 그는 기원전 323년 32살이라는 젊은 나이로 병에 걸려 세상을 떠났어.

알렉산드로스가 단일 후계자를 두지 못하고 세상을 떠나자

제국은 그의 후계자들에 의해 분열되었어.

마케도니아 출신의 귀족들이 나누어 통치하게 되었지.

대표적인 후계자로 카산드로스, 셀레우코스, 리시마코스, 프톨레마이오스 등을 들 수 있는데, 이 중에서 셀레우코스가 다리우스 왕국을 다스렸어.

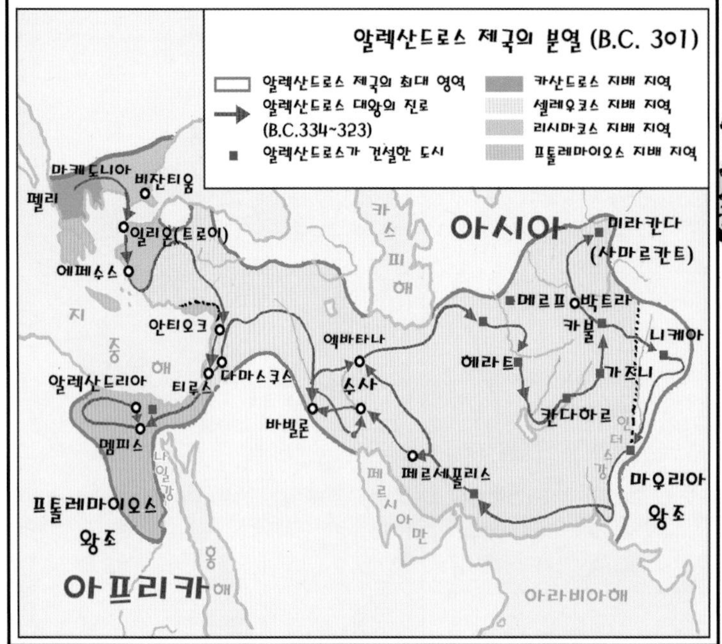

알렉산드로스 제국의 분열 (B.C. 301)
알렉산드로스 제국의 최대 영역
알렉산드로스 대왕의 진로 (B.C.334~323)
알렉산드로스가 건설한 도시
카산드로스 지배 지역
셀레우코스 지배 지역
리시마코스 지배 지역
프톨레마이오스 지배 지역
마케도니아
비잔티움
펠리
일리온(트로이)
에페수스
지중해
안티오크
알렉산드리아
티루스
다마스쿠스
멤피스
나일강
프톨레마이오스 왕조
홍해
아프리카
카스피해
아시아
에바타나
수사
바빌론
페르세폴리스
페르시아만
메르프
박트라
미라칸다 (사마르칸트)
카불
니케아
헤라트
가즈니
칸다하르
인더스강
마우리아 왕조
아라비아해

셀레우코스는 알렉산드로스 대왕이 죽은 후에도 다리우스 왕국을 빼앗기지 않고 잘 다스렸지.

다리우스

보통 정복자가 죽으면 빼앗았던 땅을 원래 주인에게 다시 빼앗기기 쉬운데 말이야.

비켜!
빼앗았던땅

그 이유가 무엇이었을까?

?

마키아벨리는 이를 설명하기 위해 군주국의 통치 유형을 먼저 알아야 한다고 했어.

통치유형

마키아벨리는 군주국은 크게 두 가지 유형의 통치 체제로 되어 있다고 해.

1번 체제
2번 체제

첫 번째 유형은 한 명의 절대적인 군주가 자신이 선택한 신하들의 도움을 받으며 다스리는 거야.

이런 군주국에서는 군주 외에 온전히 권력을 주장할 수 있는 사람이 없어.

그래서 군주에게 매우 큰 권위를 부여해.
꽈 광
권위

우리나라의 경우 고려 시대나

조선 시대가 여기에 해당하겠지.

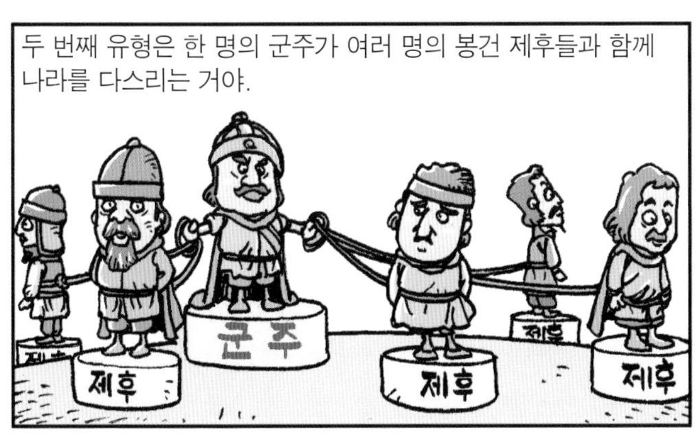
두 번째 유형은 한 명의 군주가 여러 명의 봉건 제후들과 함께 나라를 다스리는 거야.
군주
제후
제후
제후

이런 경우 권력은 군주를 중심으로 제후들이 나누어 가져.
권력
권력
권력

그런데 봉건 제후들은 군주가 선택한 사람들이 아니야.
NO~!

옛날부터 전해지는 혈통에 의해 정해졌어.

제후는 자신의 영지와 영지에 속한 사람들을 가지고 있어.

영지에 사는 사람들은 자연스럽게 제후를 따르고, 그를 영주로 받들어 모시고 살아가.

옛날에 중국이 그랬지. 천자가 군주라면 주위의 여러 왕들이 제후가 되어 함께 중국이라는 큰 나라를 다스렸던 거야.
왕
천자
왕
왕
왕

마키아벨리는 첫 번째 유형의 군주국으로 오스만 제국을 예로 들었어.

오스만

오스만 제국은 오늘날 터키의 최대 도시인 이스탄불을 수도로 하여, 서쪽의 모로코로부터 동쪽의 아제르바이잔에 이르는 광대한 제국이었지.

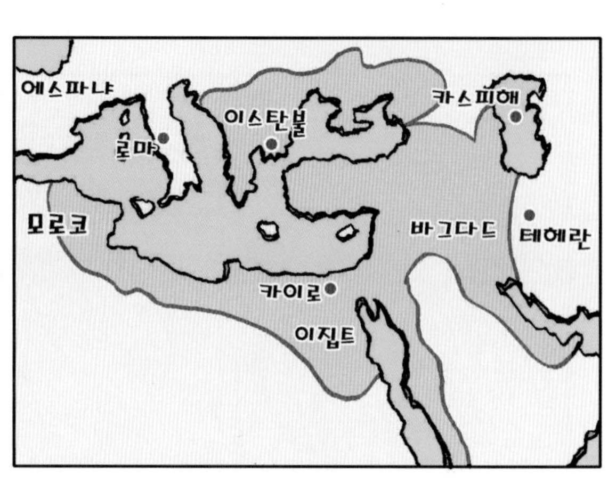

에스파냐
로마
이스탄불
카스피해
모로코
바그다드
테헤란
카이로
이집트

오스만 제국을 다스리는 군주를 술탄(sultan)이라고 해.

술탄
오스만

마키아벨리 당시에는 메흐메트 2세와 바예지드 2세가 차례로 오스만 제국을 다스렸는데, 여기에서는 메흐메트 2세를 소개하려고 해.

메흐메트 2세는 오스만 제국의 제7대 술탄으로 영토를 크게 확장하여 '정복자'란 별명을 가지고 있어.

정복자.. 지나간다!

1453년에 그는 신하들의 반대를 무릅쓰고 군대를 출병시켜 콘스탄티노플을 정복한 후 동로마 제국을 멸망시켰어.

동로마
콘스탄티노플

메흐메트 2세는 오스만 제국의 세력을 급속도로 확대시켰고, 자신이 진정한 로마 제국의 황제 자리를 계승할 인물이라고 여겼어.

로마 제국
황제
내 거얌!

그래서 1480년에 이탈리아 반도를 침공했어. 하지만 교황 식스토 4세가 이끈 강력한 군대에 밀려 뜻을 이루지 못했어.

메흐메트 2세의 중요한 치적은 오스만 제국의 통치 체제를 중앙집권적으로 만들었다는 거야.

중앙집권
통치 체제

그는 자신의 왕국을 여러 행정지구로 분할해서 각기 다른 행정관을 파견했고,

!
!
?
행정관
행정관

각 지역을 자신의 뜻에 따라 다스리게 하고, 거스르면 즉시 행정관을 교체했어.

행 정 관

마키아벨리는 두 번째 유형의 군주국으로 프랑스를 들었어.

프랑스

프랑스의 국왕은 예로부터 내려오는 여러 명의 강력한 제후 중에서 추대되었어.

여기서 제후라고 하면 흔히 우리가 알고 있는 공작이나 백작과 같은 귀족들이야.

각 제후들은 자신의 영지에서 주민들로부터 주군으로 대우를 받으며, 왕과 같은 특권을 누렸어.

국왕이라고 해서 함부로 그들이 가진 특권을 어떻게 할 수 없었지.

No!
특권

마키아벨리는 두 유형의 군주국을 정복할 때와 통치할 때의 차이점을 다음과 같이 비교했어.

정복할 때
와
통치할 때

먼저 오스만 제국이야. 오스만 제국과 같은 나라는 정복하기가 매우 힘이 드는 나라야.

오스만
제국

왜냐하면 이런 나라를 정복할 때에 그 나라 내부에서 배신자들의 도움을 받기가 매우 힘들기 때문이야.

없네~!
내부

따라서 이런 나라를 정복할 때에는 상대방의 내분에 기대를 거는 것보다는 자신의 힘에 의존하는 편이 나아.

그러나 일단 군주를 따르는 군대를 무찌른 후라면 정복하기는 쉬워. 군주의 혈통만 끊어 버리면 다른 위험은 모두 사라지게 되거든.
혈통
위험
위험

군주의 혈통 외에 어떤 것도 백성들의 믿음을 얻지 못하기 때문이야.
?

게다가 정복자는 자신이 전쟁에서 이기기 위해 백성들로부터 어떤 도움도 받지 않았으므로 그들의 눈치를 볼 이유가 없어.

그러므로 계속 통치하기도 쉬운 편이지.

반면에 프랑스와 같은 나라는 정복하기는 쉽지만
비켜-!
프랑스

다스리는 일은 무척 어려워.
통치

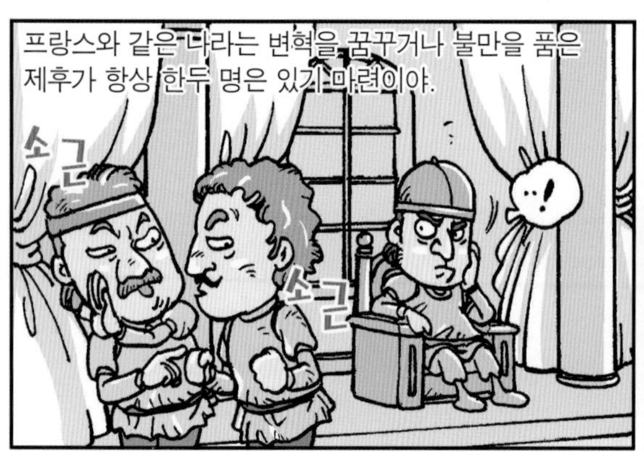
프랑스와 같은 나라는 변혁을 꿈꾸거나 불만을 품은 제후가 항상 한두 명은 있기 마련이야.
소곤
소곤

그러므로 정복자는 몇몇 제후를 자신의 편으로 끌어들임으로써 쉽게 그 나라를 점령할 수 있지.

하지만 정복 후 통치는 만만치가 않아. 오스만 제국보다 훨씬 어려워.

통치

우선 정복자는 자신을 도와주었던 사람들의 눈치를 봐야 할 거야.

또한 여러 제후 중에 정복자에 반기를 드는 제후가 꼭 있으므로 이들의 반역에 늘 대처해야 해!

그러므로 프랑스와 같은 군주국은 왕가의 혈통을 끊는다고 해서 문제가 해결되지 않아.

싹

뚝

통

혈

수시로 불만을 드러내는 백성들을 추스르고,

또 언제든지 반기를 들 수 있는 제후들과 대립하느라고 엄청 힘이 들지.

끙
끙
나라
제후
제후
제후

마키아벨리는 다리우스 왕국의 통치 체제가 오스만 제국과 닮았기 때문에,

다리우스

오스만

알렉산드로스 대왕 사후에 셀레우코스가 큰 어려움 없이 통치했다고 결론을 내렸어.

통치

만약에 다리우스 왕국이 프랑스와 비슷한 통치 체계를 가지고 있었다면,

다리우스
프랑스

셀레우코스는 결코 다리우스 왕국을 평탄하게 통치할 수 없었을 것이라고 단정해.

정복지

정복한 나라를 잘 다스리는 일은 정복자의 역량도 중요하지만 정복된 나라의 정치 사정이 어떤가에 따라 크게 좌우된다고 할 수 있는 거야.

정복자

정치 사정

마키아벨리는 백성들이 스스로 만든 법 아래에서 잘 살고 있는 나라를 정복했을 때,

정복자, 즉 새로운 군주가 그 나라를 다스리는 방법에는 3가지가 있다고 말했어.

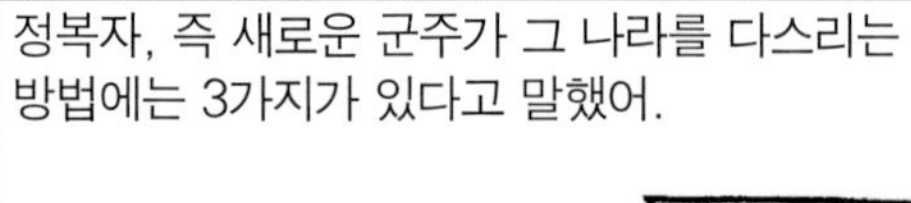

3가지 방법

가장 좋은 것은 그 나라를 완전히 멸망시키는 거야.

퍽
멸망
퍽

두 번째는 그 나라에 군주가 이주하여 사는 거야.

부르릉
포장이사

세 번째는 그들을 이전처럼 자신들의 법률 아래에서 살게 하는 거야.

원래 그대로.

세 번째 경우에는 새 군주에게 조공을 바치게 하고,

새 군주에게 우호적인 사람들로 과두 정부*를 만들어야 해.

과두정부

앞의 두 가지의 경우가 자유에 익숙한 나라를 다스리는 데 가장 효율적이야.

삐
삐
삐
국가

* 과두 정부: 소수의 사회 구성원들에게 권력이 집중된 정부의 형태.

스파르타와 로마의 예를 비교해 보면 잘 알 수 있어.

VS

스파르타는 아테네와 테베를 정복한 후에 그곳에 과두 정부를 세웠어.

에
게
해
테베
아테네
반도

하지만 끝까지 그 두 도시를 가지지는 못했지.

아테네
테베

반면에 로마는 이탈리아의 카푸아, 아프리카의 카르타고, 에스파냐의 누만티아 등을 지배할 때 도시를 완전히 파괴한 후에 정복했어.

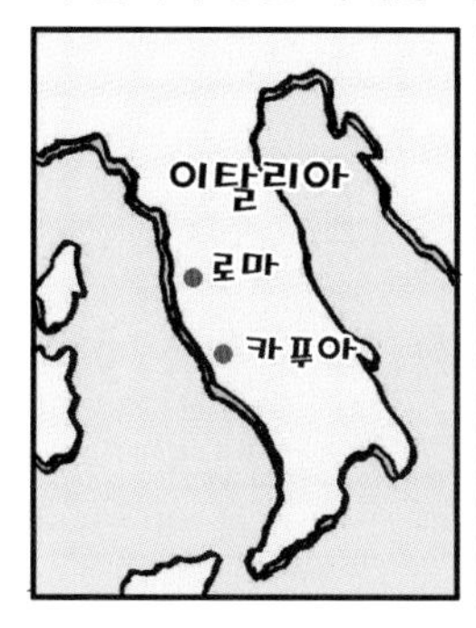
이탈리아
로마
카푸아

에스파냐
누만티아

이탈리아
시칠리섬
카르타고
아프리카

때문에 그 도시를 오랫동안 잃지 않았지.

카푸아
카르타고
누만티아

물론 로마도 처음부터 그러진 않았어.

?
카푸아
누만티아
카르타고

로마도 처음에는 스파르타가 했던 것처럼 카푸아나 카르타고 자체의 법률을 두고 백성들을 자유롭게 해 주면서 다스리려 했으나

니들~
법대로…!

결국에는 성공하지 못했어.

성
공

그러자 로마는 그 다음부터는 아예 도시를 완전히 파괴한 뒤 지배하는 전략을 사용한 거야.

쿠
우웅…!

자유에 익숙한 도시를 지배하려면 그 도시의 모든 것을 파괴하지 않는 한, 오히려 그 도시에 의해 자신이 파멸될 것이라는 사실을 깨달았기 때문이야.

왜냐하면 그런 도시들은 반란을 일으킬 경우 언제나 자유라는 이름에,

자유를 달라!

그 도시에 예부터 전해 오는 법령을 명분으로 삼는데,

우리는 우리의 법이 있다…!!

그런 것은 세월이 흐른다거나 은혜를 베푼다고 해서 쉽게 잊을 수 있는 것이 아니기 때문이지.

우리는 우리의 법이 있다…!!

예를 들어 피사는 1405년부터 1494년까지 근 100년 동안이나 피렌체에 지배당했지만,

피렌체
피사
1405
1494
년

항상 자신들의 옛 모습을 잊지 않고, 자신들의 도시를 되찾으려고 애를 썼어.

피사

한편 공화국에서 사는 사람들은 군주국에서 사는 사람들보다 훨씬 자유로운 삶을 살아.

하하하
군주국
공화국

따라서 자신들을 억압하고자 하는 세력이 나타나면

더 큰 증오와 복수심으로 저항을 하지.

크와앙

그리고 과거에 누리던 자유에 대한 기억이 그들을 가만히 있도록 내버려 두지도 않아.

끄으응

그러므로 공화국 체제를 경험한 도시나 나라를 통치하는 가장 안전한 방법은

공화국

그들을 말살시키거나

퍽
퍽

아니면 군주 자신이 직접 그들 속에 머물며 통치하는 것밖에는 없어.

평범한 개인이 군주가 되려면 운이 좋거나 탁월한
능력이 있어야 해.
군주가 되는 방법
운
능력

운보다는 능력에 의해 군주가 된 사람이
더 오래 자리를 지킬 수 있지.

자신의 능력으로 군주가 된 사람의 예로 모세, 키루스, 로물루스, 테세우스 등을 들 수 있어.

그들에게는 좋은 기회가
주어졌다는 공통점이 있어.
기회

예를 들어 이스라엘 사람들이
이집트에서 억압받으며 노예
생활을 한 것이 모세에게는 좋은
기회가 되었어.

모세가 이들을 이끌고 이집트를 탈출하는
계기가 되었거든.

로물루스는 태어날 때부터
버림받았는데,
으
아
앙

오히려 이 일은 나중에 그가 로마를
건설하고 왕이 되는 기회가 되었어.

키루스 왕도 페르시아 인들이 메디아
인들의 지배에 불만을 품고 있었던 반면,

메디아 인들은 오랜 태평성대에 안일해졌고
나약해진 기회를 놓치지 않았어.

테세우스는 아테네 인들이 혼란 상태에 빠져 헤매는
모습을 발견하는 기회를 얻었어.

이들은 모두 자신들에게 주어진
기회를 놓치지 않고,
기회
기회
기회

뛰어난 능력으로 주어진 기회를 잘 살려서
나라를 세웠어.
나라
나라
나라

그 과정에서 행운은 단지
그들에게 자료만을 제공했을
뿐이고,
자료

그 자료에 자신이 원하는 형상을 부과한 것은 오로지
그들의 능력이었어.
자료

그들에게 운만 있고 능력이 없었다면 새로운 나라의
군주가 될 수 없었을 거야.
나라

좋은 예로 시라쿠사의
히에론(Hierone) 2세가
있어.

그는 일개 시민에서 군주로
등극했는데,
군주
시민

그에게 주어진 기회란 압제를 받고 있던
시라쿠사 인이 그를 장군으로 선출한
거였어.

그런 후에 그는 자신이 훌륭한 인물임을 증명했고 비로소 군주로 등극할 수 있었지.

사실 그는 평민 시절부터 군주로서의 역량을 갖추고 있었어. 그래서 어떤 사람은 그를 두고, '그가 통치자가 되기에 부족한 점이 있다면 그것은 단지 다스릴 나라가 없다는 사실 뿐이다.' 라고 말할 정도였지.

와아아
와아아

그는 군주가 된 후에 구식 군사 제도를 폐지하고, 새로운 군사 제도를 확립시켰으며,

구식
신군사 제도

새로운 동맹 관계를 구축했어.

그는 이렇게 군대와 동맹을 확보한 후에

이들을 토대로 자신이 원했던 나라의 체계를 만들어 나갔지.

국가 체계

이처럼 자신의 능력으로 신생 군주국을 만든 사람들은 왕좌에 오르는 과정 자체는 무척 힘들지만

낑
낑

일단 왕좌에 오르면 그 자리를 지키는 것은 어렵지 않아.

단순히 운이 좋아서 군주가 된 사람은 군주가 되는 것은 쉬웠겠지만 그 자리를 지키는 일이 무척 어려워.

뻥

예를 들어 군대의 부패로 인해 평민으로 태어나서 황제가 된 로마의 황제들이 있어.

금

로마 제국의 여섯 번째 황제인 세르비우스 술피키우스 갈바(기원전 3 ~ 기원후 69)와

일곱 번째 황제인 마르쿠스 살비우스 오토(32 ~ 69),

여덟 번째 황제인 비텔리우스(15 ~ 69) 등이 여기에 해당하지.

이런 군주들은 그들을 등극시켜 준 사람들의 호의와 행운에 의존하기 마련이야.

하지만 후원자들의 호의와 행운은 매우 변덕스러운 것들이라 믿을 수가 없지.

이들은 자신이 획득한 자리를 지키는 방법을 알지 못해.

?

이들은 마치 하루아침에 싹이 터 뿌리와 가지의 연계가 튼튼하지 못해

불어 닥치는 악천후에 쓰러지는 식물과 같아.

그래서 3명의 로마 황제는 모두 69년 같은 해에 목숨을 잃었지.

69년

이들 로마 황제와 비슷한 길을 갔던 인물로 체사레 보르자를 들 수 있어.

그는 알렉산데르 6세라는 교황 아버지를 둔 행운으로 발렌티노 대공이라 불리며 로마냐의 군주 자리에 올랐어.

대공-!
발렌티노 대공-!
로마냐

하지만 그는 얼마 가지 않아 그 자리를 잃었어.

로마

물론 보르자는 자리를 빼앗기고 목숨을 잃은 로마의 황제들과는 달리,

자신의 자리를 공고히 하기 위해 현명하고 능력 있는 군주라면 취해야 할 일들을 수행하며 수단과 방법을 가리지 않았으나,

결국에는 자리에서 물러나야 했어.

하지만 잘못은 보르자에게 있는 것이 아니었어. 이례적인 그의 불운 때문이었어.

불운

그 과정을 좀 더 자세하게 알아볼까?

?

체사레 보르자는 교황 알렉산데르 6세가 교황이 되기 전에 얻은 사생아(혼인 관계가 없는 사이에서 태어난 아이)였어.

으 아 앙

하지만 보르자는 영특한 아이였고, 알렉산데르 6세는 교황이 된 후에 그를 정식 아들로 삼고 군주로 만들려는 야심을 가졌지.

호시탐탐 기회를 노리고 있던 알렉산데르 6세에게 절호의 기회가 왔어.

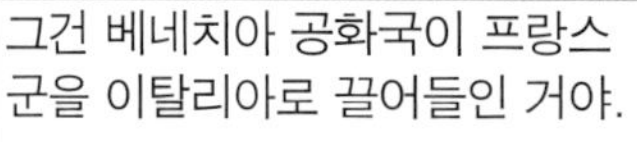

그건 베네치아 공화국이 프랑스 군을 이탈리아로 끌어들인 거야.

이탈리아

당시 프랑스의 왕은 루이 12세였는데, 루이 12세는 첫 번째 부인과 이혼하기 위해 교황의 도움이 필요했어.

교황은 루이 12세의 뜻을 이루어 주고, 대신 그의 군대를 빌렸어.

교황은 보르자로 하여금 교황의 군대와 루이 12세로부터 얻은 군대를 이끌고 로마냐를 침공하게 했어.

로 마 냐

보르자는 두 번의 전투를 성공적으로 이끌어 로마냐를 항복시켰지.

하지만 로마냐의 군주가 된 보르자는 큰 어려움에 부딪혔어.

어려움..!

그건 자신이 이끈 군대의 충성심을 믿지 못한다는 점이었어.

!

보르자의 군대는 교황을 지지하는 오르시니 가문의 군대와 루이 12세의 군대로 이루어져 있었는데, 언제 이들이 자신을 배신할지 몰랐지.

끙
끙
오르시니 가문
루이12세군대

보르자는 더 이상 다른 사람의 군대에 의존할 수 없다고 여기고,

오르시니 가문과 콜론나 가문*을 추종하는 귀족들을 갖가지 방법을
동원해 자기 사람으로 만들었어.
콜론나

그러자 콜론나 가문은 유명무실한
가문이 되어 버렸지.
콜론나 가문

* 오르시니 가문과 콜론나 가문은 서로 숙적 관계에 있는 로마의 유명한 가문이다. 오르시니 가문은 교황을 지지하고, 콜론나 가문은 황제를 지지했다.

이어서 보르자는 오르시니 가문의
지도자들을 음모에 빠뜨려 모조리
죽이고,
으아악

나머지 사람들은 모두
자기편으로 만들어 자기
세력을 강화시켰어.

그 결과 보르자는 로마냐 전 지역을
자기 것으로 만들 수 있었지.
로마냐

보르자는 단순히 로마냐를
통치하는 데 그치지 않고 로마냐
주민들을 동반자로 여기고
짝

주민들을 위한 복지 정책을 폈어. 당연히
주민들은 보르자에게 호감을 가졌지.
복지
복지

바로 이런 점이 마키아벨리가
그를 높이 평가하는 이유야.
척

보르자 이전의 지도자들은 로마냐 주민들을
통치하기보다는 약탈했다고 할 수 있을 정도로
못살게 굴었거든.

욕심 많고 무능력한 지도자들 때문에 로마냐 전역에
강도와 폭력과 온갖 종류의 범죄가 난무했지.
꺄아악

보르자는 로마냐에 평화를 확립하고, 사람들이 군주에게 복종하도록 만들기 위해서 냉정하지만 지혜로운 레미로 데 오로코를 파견하였어.

로마냐

오로코는 짧은 시일 내에 로마냐 지역에 평화를 정착시켰지.

꽝
꽝
평화

또한 보르자는 한 명의 탁월한 재판관을 보냈고,

재판관
험!

각 도시에서 선출된 대표자로 구성된 민사 재판소를 설치했어.

재판소
재판소

그런데 오로코가 평화를 정착시키는 과정에서 혹정을 폈고, 그로 말미암아 주민들의 반발이 크게 일었어.

평화

보르자는 주민들의 증오심을 자신이 아니라 모두 오로코에게 돌렸어. 보르자는 1502년 12월 22일에 오로코를 투옥시킨 뒤, 성탄절 다음 날에 죽였어.

보르자는 두 토막 낸 오로코를 피 묻은 칼과 함께 광장에 공개하여 만인이 보도록 했어.

이제 어느 누구도 보르자의 권위에 도전할 수 없을 정도로 보르자의 위치는 굳건해졌어.

권위

그러나 여전히 불안 요소는 남아 있었지. 아버지 알렉산데르 6세가 세상을 떠난 후 새로 등극할 교황이 적대적으로 나오면 자신의 위치가 곤란해질 수 있기 때문이었어.

보르자는 자기 입지를 확실하게 다지기 위해 네 가지 자구책*을 모색했어.

첫째, 지금까지 자신이 멸망시킨 영주들의 혈통을 완전히 끊어 버렸어. 새로운 교황이 그들을 이용해서 자신에게 공격할 구실을 아예 없애 버리기 위해서였지.

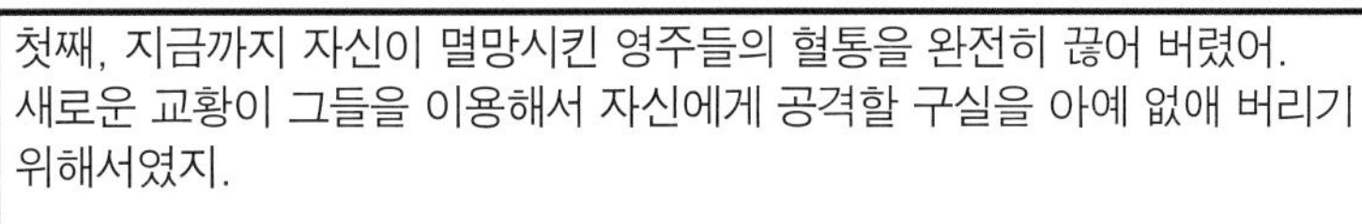

싹
뚝
싹
뚝

* 자구책: 스스로를 구원하기 위한 방책.

둘째, 로마에 있는 귀족들의 협력을 얻어 냈어.

로마

그들의 세력을 이용하여 새 교황의 힘을 견제하려고 했지.

셋째, 가능한 추기경 회의를 자신의 수중에 넣고자 획책했어.

추기경 회의.

넷째, 아버지인 지금의 교황이 살아 있을 때 충분한 세력을 구축하여 독자적인 힘으로 새 교황의 공격을 막아 낼 수 있도록 했어.

퍽
퍽
퍽

이상의 네 가지 방법을 이루기 위해서 보르자는 방해가 되는 귀족들을 많이 살해했어.

살생부

그는 로마의 모든 자객들을 고용하고 있었지.

쿠 앙-!

하지만 그가 권좌에 오르기 위해 칼을 뽑은 지 5년 만에

알렉산데르 6세가 세상을 떠나자, 보르자의 입지는 약화되었어.

우 르 르

그에게 남겨진 것은 로마냐의
영지뿐이었어.
로마냐

나머지 영지는 적대 관계에 있던 프랑스와
에스파냐 두 강대국 사이에 끼어 허공에
뜨게 되었고,
영지
에스파냐

설상가상으로 보르자 자신도
중병에 걸려 버렸지.
끙
끙

보르자는 아버지가 죽은 후에 일어날 일에 대해 철저하게
대비를 했지만 자신이 중병에 걸릴 것까지는 생각하지 못했던
거야.
털썩

그래도 보르자는 여전히 맹렬한 공격성과
배짱을 지녔으며,
크와앙

필요한 사람들을 자기편으로
끌어들이거나 파멸시키는 방법을
완벽하게 알고 있었어.

그렇기에 그는 단시일 내에
견고한 토대를 구축하였던 거야.

만약에 그가 배후에서 강대국의 공격을
받지 않고,
강대국

중병에 걸리지만 않았더라면
어떤 어려움도 잘 극복했을 거야.
휘이잉

실제로 그가 중병으로 앓아 누워
있을 때도 로마냐 주민들은 그가
복귀하기를 한 달 이상이나
기다려 주었고,
로마냐

로마에서는 그의 신변에
어떤 공격도 가하지
않았거든.
로마

그래서 나는 보르자가 한 일을
결코 비난하지 않아.

오히려 운수와 타인의 무력으로 군주가
된 사람들은 그의 결단력과 행동을
본받아야 한다고 생각해.

군주가 된 사람들은 보르자에게서
다음과 같은 점을 배워야
한다고 믿어.
배울 점

적의 침입을 방비하는 일,

자기편을 확보하는 일,

힘이나 속임수로 승리를 거두는 일,
쿵
항복

백성들이 군주를 좋아하면서도
두려워하도록 만드는 일,

자신의 군대로부터 존경을 받으면서
그들이 따르도록 만드는 일,

군주 자신에게 해를 끼칠 자들을
제거하는 일,

오래된 법을 새로운 법으로
개정하는 일,
새로운 법!

구식 군대를 해산하고 신식 군대로
대체시키는 일,
퇴장

다른 군주나 영주들과 동맹을 맺거나
가까이 지내는 일 등등이지.

오스만 제국의 군주들

마키아벨리는 군주국의 두 가지 유형 중 한 명의 절대적인 군주가 자신이 선택한 신하들이 보필을 받으며 다스리는 대표적인 예로 오스만 제국을 들었습니다. 오스만 제국은 어떤 나라이며, 오스만 제국의 군주인 술탄으로는 어떤 인물이 있는지 알아봅시다.

오스만 제국

Krakau
Kiew
Wien
Budapest
Azov
Belgrad
Edirne
Istanbul
Bursa
Ankara
Tiflis
Baku
Tabriz
Algier
Tunis
Tlemcen
Konya
Mosul
Bagdad
Damaskus
Tripolis
Ghadamis
Kairo
Qasr Farafra
Quseir
Murzuq
Ghat
Medina
Mekka
Sawakin
Massaua
Aden
전성기 때 오스만 제국 강역.

오스만 제국은 1299년부터 1922년까지 존재했던 나라로 한때 유럽, 아프리카, 아시아 3개 대륙에 걸쳐 방대한 영토를 가졌습니다. 투르크 족을 중심으로 다양한 민족으로 이루어졌고, 중심 종교는 이슬람교였지만 다른 다양한 종교도 허용되었습니다. 수도는 콘스탄티노폴리스(이스탄불)이었으며 동서 교류의 중심지 역할을 했습니다. 18세기 이후 세력이 약화되어 이웃 나라에 영토를 빼앗기거나 일부 지역은 독립을 했습니다. 남은 영토에서 20세기 초에 터키 공화국이 탄생했습니다.

오스만 1세(Osman I, 1258~1326)

오스만 1세

오스만 1세는 오스만 제국의 기초를 닦은 군주입니다. 오스만 제국이라는 이름도 그의 이름에서 나왔습니다. 13세기 말 소아시아는 투르크계 민족들이 각각 작은 나라를 이루며 분열된 상태였습니다. 그때 아나톨리아의 부족장이었던 오스만 1세가 강력한 군사력을 바탕으로 주변의 세력들을 정복하고 손을 잡으면서 영토를 넓혀 오스만 제국의 기틀을 만들었습니다.

군주
의
성품

오르한 1세(Orhan I, 1284~1359)

오스만 1세의 아들입니다. 즉위 후 동로마 제국의 지방 도시인 부르사를 정복한 후 수도로 삼았습니다. 이슬람 법관 제도를 확립했고, 대학교를 창립했으며, 화폐를 만드는 등 내치에 힘을 써 국가 체제를 갖추었습니다.

오르한 1세

1346년 비잔티움 황제 요한네스 6세와 협력하여 발칸 반도를 침공하고 세르비아 왕국을 격파하여 유럽 대륙으로 세력을 확대할 수 있는 기반을 다졌습니다.

메흐메트 2세(Mehmed II, 1432~1481)

오스만 제국의 제7대 술탄(군주)이며 초대 황제입니다. 그는 페르시아 어로 시를 짓고 아라비아 어로 해설을 할 만큼 뛰어난 교양을 지닌 황제였습니다. 이탈리아의 인문학자와 예술가들을 존중하고 그들을 적극 후원하여 문화와 예술 발전에 크게 기여했습니다.

메흐메트 2세

메흐메트 2세는 1453년 동로마 제국의 수도 콘스탄티노폴리스를 정복하여 동로마 제국을 멸망시켰습니다. 그 후 콘스탄티노폴리스는 오스만 제국의 수도가 되었고, 오늘날에는 이스탄불로 불리며 터키 공화국의 수도가 되었습니다.

메흐메트 2세는 15세기 말에 발칸 반도의 베네치아 공화국과 펠로폰네소스 반도의 세르비아, 아나톨리아의 거의 모든 땅을 정복했습니다. 또한 에게 해의 여러 섬에 세력을 뻗쳐 오스만 제국의 바다로 만들었습니다. 메흐메트 2세는 새로운 로마 제국의 황제로 자임했으나 주변국으로부터 인정을 받지 못했습니다. 하지만 오스만이 제국으로서의 입지를 다지는 데 성공했습니다.

쉴레이만 1세(Süleyman I, 1494~1566)

오스만 제국의 제10대 술탄입니다. 그는 뛰어난 군사 전략가로 46년이라는 긴 재위 기간 동안 열세 차례나 원정 전쟁을 벌였습니다. 그 결과 오스만 제국은 유럽과 북아프리카까지 영토를 넓혔고, 오스만 제국의 최전성기를 이루었습니다. 또한 그는 법전을 편찬하여 제국의 법제도를 확립하여 입법자라는 별명으로 불렸습니다. 쉴레이만이라는 이름도 성경에 나오는 지혜의 왕 솔로몬의 터키식 발음입니다.

5장 시민 군주국과 교회 군주국

교회 군주국
시민 군주국

지금부터는 평범한 시민이 동료 시민들의 선택에 의해서 군주가 되는 경우에 대해서 살펴보자.

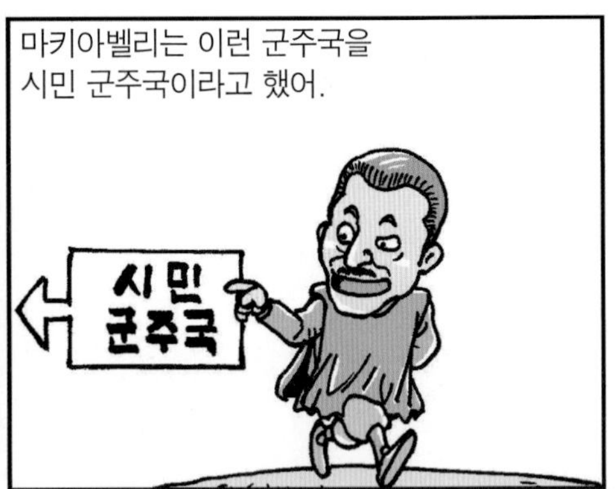

마키아벨리는 이런 군주국을 시민 군주국이라고 했어.
시민 군주국

시민 군주국에서 군주가 되는 길은 두 가지가 있어. 하나는 시민의 지지를 얻는 경우야.

다른 하나는 귀족의 지지를 얻는 경우지.

일반적으로 국가는 귀족들로부터 명령받거나
억압당하지 않으려는 시민의 욕망에서 만들어지거나,
귀족
국
가

시민에게 명령하고 억압하려는 귀족들의 욕망에서
만들어진다고 볼 수 있어.
국
가

이런 상반된 욕망에서 군주제
국가나
군주국
귀족

공화제 국가,
공화국

아니면 무정부 국가가 만들어지지.
무정부
국가

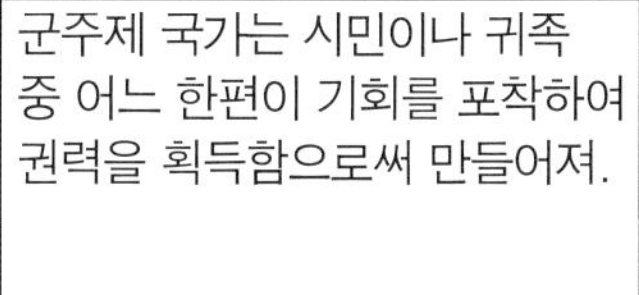
군주제 국가는 시민이나 귀족
중 어느 한편이 기회를 포착하여
권력을 획득함으로써 만들어져.

기회

귀족들은 자기들이 시민에게 대항할 수
없다는 것을 알게 되면 자기들
중에서 한 사람을 전면에 내세워 그를
군주로 만들어.
시민
귀족

그리고는 군주의 권력 그늘에서
자신들의 욕망을 충족시키려고
하지.

시민들도 마찬가지야.

시민들은 귀족들에게 저항할 수 없다는
것을 알게 되면 자기들 중 어느 한 사람의
명망을 드높여 그를 군주로 만들어 놓고

그의 권위를 방패로 삼고자
하지.

귀족의 도움을 받아 군주가 되면 시민의 도움으로 군주가 된 사람에 비해 권력을 유지하기가 훨씬 어려워.

우르르

스스로를 군주와 대등하다고 여기는 많은 귀족들에게 둘러싸이게 되기 때문이야.

이로 인해 군주는 자기 뜻대로 부하들에게 명령하고 정치를 펼칠 수 없어.

반면에 시민의 지지를 받아 군주가 된 사람은 혼자 권력을 가지게 되므로,

권력

주위에 복종심이 단단한 부하들이 많아.

권력-!

귀족들보다는 시민의 욕망을 만족시키는 것이 훨씬 쉬워.

욕망
욕망

귀족은 다른 사람들을 억압해서 욕망을 충족시키지만 시민은 억압당하지만 않으면 만족하기 때문이야.

또한 시민의 소원은 귀족보다는 정직하고 정당한 편이야.

우리의~소원은
정직~
정당~

또 군주가 적대적인 시민으로부터 예상할 수 있는 최악의 상태는 시민으로부터 버림받는 일이야.

반면에 적대적인 귀족은 군주를 버릴 뿐만 아니라

귀족

직접 공격하기도 해.

귀족
꾸엑

또한 귀족들은 선견지명이 뛰어나고 약삭빠른 사람들이야.
튀어~!
귀족

그래서 자신들의 안정을 위해 승산이 있어 보이는 군주에게 아부를 하며 충성을 하는 척하지.

군주는 시민 속에서 늘 살아야 하지만

귀족과는 늘 함께 살지 않아도 돼.

군주는 언제라도 귀족을 만들거나 없앨 수 있는 권력을 가지고 있기 때문이지.
귀족

귀족은 기본적으로 두 부류가 있어. 첫째, 전적으로 군주의 뜻대로 일을 처리해 나가는 부류야.
?
!

탐욕이 없고 군주에게 헌신적인 귀족이 여기에 속해.

군주는 당연히 이런 귀족을 예우하고 소중히 여겨야 해.

둘째, 군주에게 헌신적이지 않은 부류야. 이런 귀족은 두 가지 방법으로 대해야 해.
?…

귀족이 소심하거나 원래 결단력이 부족하여 망설이는 경우, 이들을 등용해야 해.

그렇게 하면 그들은 군주가 한창 융성할 때는 군주를 존경할 것이고, 역경에 처해도 군주를 해치지 않으므로 두려워할 필요가 없어.

반면에 야심을 가진 귀족은 군주의 일보다 자신의 일을 더 소중하게 생각하지.
?

군주는 이들을 적으로 생각해야 해.
현상수배

왜냐하면 이들은 군주가 역경에 처했을 때 군주를 파멸시키려는 움직임에 쉽사리 동조하기 때문이지.

시민의 지지를 통해 군주가 된 사람은 항상 시민을 자기편에 잡아 두어야 해.
시민

시민이 바라는 것이라고는 억압당하지 않는 것이 전부이므로

이들의 요구를 들어주는 일은 그다지 어렵지 않아.

시민은 반대했지만, 귀족들이 도와 군주가 된 사람들도
귀족

우선적으로 시민의 마음을 얻는 일에 최선을 다해야 해.

시민들은 잘 보호해 주기만 하면 쉽게 자기 편으로 만들 수 있어.

사람의 마음이란 교활해서 애당초 자기에게 해를 끼치리라고 생각했던 군주로부터

오히려 뜻밖의 은혜를 입게 되면 더욱더 큰 고마움을 느끼거든.

이런 경우 원래 자기들이 지지해서 군주가 된 사람에게보다 오히려 더욱 깊은 호감을 느껴.

하여튼 군주에게 가장 중요한 일은 항상 시민을
자기편으로 두어야 한다는 점이야.

그렇지 않으면 역경에 처했을 때 아무런 대책을
세울 수가 없어.
역 경

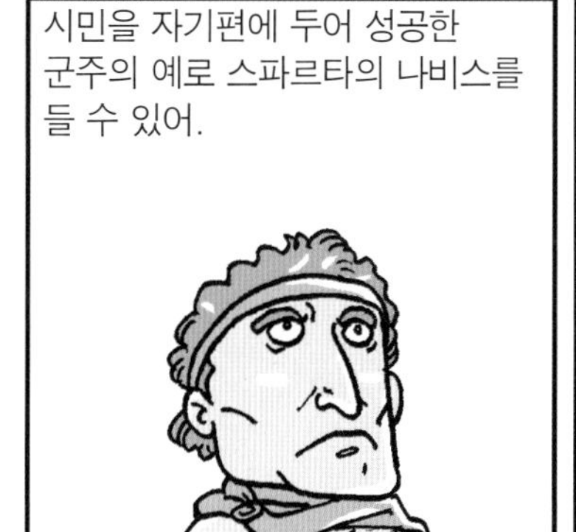
시민을 자기편에 두어 성공한
군주의 예로 스파르타의 나비스를
들 수 있어.

그는 막강한 로마의 군대에 맞서 끝까지 버텨 조국의 영토를 지킨 군주였어.
와 아 아

나비스는 기원전 207년에 스파르타의 군주가 되었는데
그는 일부 노예를 해방하고,

토지를 분배하는 등 개혁적인 정책을 펴서 시민의
지지를 받았어.

그는 위기에 처했을 때 몇 명의
스파르타 인들을 제거함으로써
위기를 넘겼는데,

만약에 그가 평상시 시민과
적대적이었다면 이 정도 일로

위기를 넘길 수 없었을 거야.
탕

여기서 잠깐! 마키아벨리는 나비스를 조국을 지킨 군주라고 말했는데, 역사적 사실은 조금 달라.

NO
역사

나비스는 스파르타의 마지막 전제 군주로 기원전 195년에 로마 군에게 참패를 당한 후

그리스 펠로폰네소스 반도에 있는 도시 국가인 아르고스에 항복했지만

항복
아르고

자신의 부하 장군에게 피살되었어.

퍼
억

이후 스파르타는 192년에 아카이아 동맹에 병합되고 말았지.

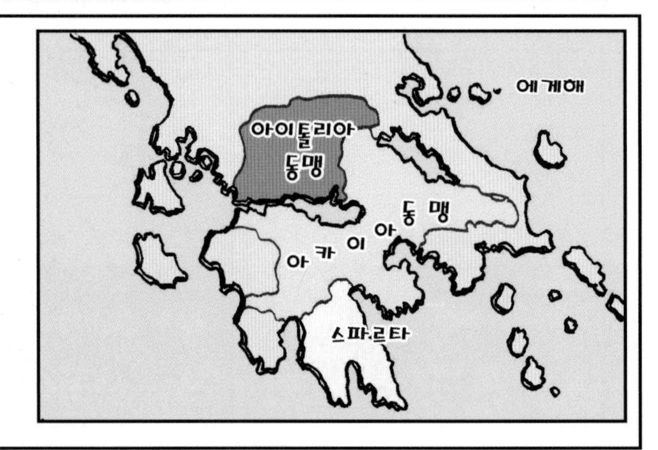
에게해
아이톨리아 동맹
아 카 이 아 동 맹
스파르타

마키아벨리는 '시민에 의지하는 사람은 진흙 위에 집을 짓는 것과 같다.'는 속담은 케케묵은 말이라며 자신의 의견에 반박하는 사람을 공격했어.

하 하 하
쿠 당
탕

물론 이 속담처럼 시민에게 속은 사람들도 있어.

하 하 하 하
?
바보

대표적인 예로 로마의 그라쿠스 형제를 들 수 있지.

그라쿠스 형제는 기원전 2세기 공화정 시대의 로마에서 활동한 정치가로 형 티베리우스 그라쿠스와 아우 가이우스 그라쿠스를 말해.

두 형제는 호민관이 되어 로마의 서민을 위한 정치를 폈어.

그들은 자작농을 육성하는 토지 개혁을 실시했고,

빈민을 돕는 여러 가지 정책 개혁을 도모했지.

그러나 로마 원로원과 보수적인 귀족에게 죽임을 당하고 개혁은 실패했어.

로마의 권력은 다시 귀족에게 집중되었고, 농민들은 소작농이나 빈민으로 몰락했어.

그 후 로마의 공화정은 몰락하고, 전제 군주제가 되고 말았지.

화
정

그라쿠스 형제의 시체는 모두 티베르 강 유역에 버려졌어. 무덤도 남지 않았지.

그러나 시민을 믿고

시민을 지휘하는 방법을 알며

또한 역경 속에서도 당황하지 않은 용감한 군주이고,

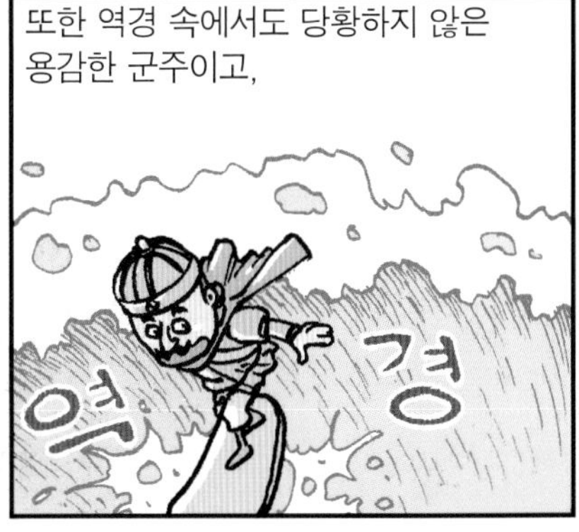
역
경

시민을 자신의 명령과 훈계에 의해 행동하도록 고무시킬 수 있다면

정신교육

군주는 결코 시민으로부터 배반당하는 일은 없을 것이며

그의 토대가 견고하게 구축되어 있음을 알게 될 거야.

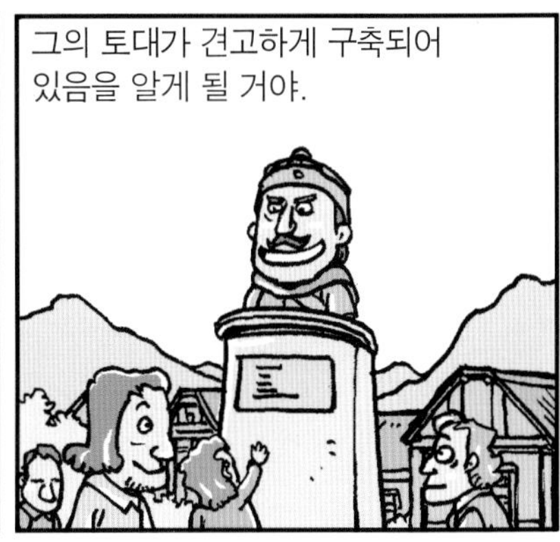

그런데 시민 군주국의 군주가
절대 권력을 가지려고 하면
큰 위험에 빠지게 돼.

절대 권력
낑
낑

일반적으로 시민 군주국의 군주는
나라를 직접, 혹은 관료를 통해 다스려.

관료
나라

그런데 후자의 경우 군주의
지위가 불안정하고 위험해질 수
있어.

휘청
휘청

군주는 관료에게 많이
의지하는데, 관료들은 다른
생각을 품을 수 있거든.

특히 군주가 곤경에 처할 때 그들은
군주에게 정면으로 도전하거나,

혹은 전혀 복종하지 않음으로써
쉽사리 군주를 폐위시키기도 해.

탕
탕

게다가 군주는 일단 자신의
통치가 위태롭게 되면 절대적
권력을 행사할 기회가 많지 않아.

왜냐하면 줄곧 관료들의 명령에
복종하는 데에 익숙한 시민들이
군주의 명령을 받아들이지 않기
때문이야.

명령

따라서 군주는 위기의 시기에
믿을 만한 사람이 극소수에
불과하다는 것을 깨닫게
될 거야.

군주는 시민들이 그들에게 국가가 유익할 때,
즉 평온한 시기에 군주에게 보이는 행동에
현혹되어서는 안 돼.

시민들은 평화로울 때는 누구나 충실하고 헌신적인
것처럼 보이기 때문이야.

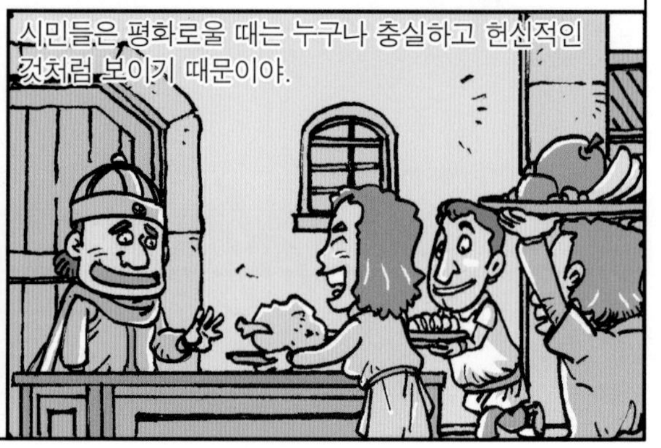

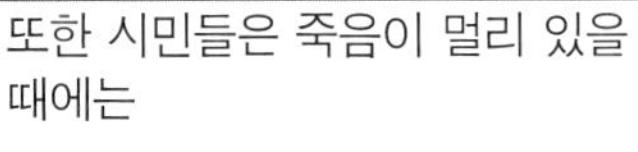

또한 시민들은 죽음이 멀리 있을 때에는

모두가 군주를 위하여 죽을 각오가 되어 있는 체하면서

늘 충성을 다하겠다는 과장된 약속을 하지.

충성~!

그러나 국가가 위급한 시기에 접해 실제로 시민을 필요로 할 때에는

쿠 콰 콰

그러한 사람을 거의 찾아볼 수 없게 돼.

후 다 닥

마키아벨리는 이런 위기는 한 번 오면 끝일 정도로 특히 위험한 것이라고 했어.

그러기에 현명한 군주는 어떤 상황에서도 시민들이 국가와 자신에게 의존하도록

나라

각계각층의 모든 시민을 자기편으로 만들 방법을 생각해야 할 거야.

그렇게 함으로써 시민들은 언제까지나 믿을 만한 존재로 될 거야.

와 아
와 아

교회 군주국은 매우 강력하고도 권위 있는 고대의 종교 원리에 의해 군주 자리가 보장되는 국가야.

성경

교회 군주국의 군주는 국가를 소유하되 방위하지 않고, 백성이 있되 통치하지 않는 유일한 군주야.

Z z z
?

교회 군주국은 방비를 하지 않아도 결코 점령되지 않으며,

쩝!

시민들을 잘 돌보지 않아도 결코 항의하거나 이탈하지 않아.

또한 불만을 품고 있더라도 반항할 수가 없는 국가야.

왜?

따라서 교회 군주국의 정부는 이 세상에서 유일하게 안전하고 행복한 정부라고 할 수 있을 거야.

교회 군주국

교회 군주국은 신에 의해 건립되고 유지되는 나라이기 때문에

몰지각하고 무분별한 사람이 되려고 작정하지 않고서는 감히 어느 누구도 권력을 탐하려고 도전하지 않아.

교회 군주국이 강력한 국가가 된 것은 교황 알렉산데르 6세 때부터라고 할 수 있어.

알렉산데르 6세

그 이전에는 일반인이나 귀족들도 교회 군주국을 무시했단다.

교회군주국

하지만 알렉산데르 6세 이후에는 프랑스의 왕까지도 교황 앞에서 벌벌 떨고,

벌
벌

프랑스 왕을 이탈리아에서 쫓아낼 정도로 강력하고,

뻥
이탈리아

베네치아 공화국을 파멸시킬 수 있을 정도로 무시무시해졌어.

후우우우
베네치아

교황의 권력이 강력해진 과정을 간단히 이야기하면 다음과 같아.

프랑스 왕 샤를 8세가 이탈리아로 들어오기 전까지

프랑스
이탈리아

이탈리아는 교황, 베네치아 공화국의 군주, 나폴리의 국왕, 밀라노의 군주, 피렌체 공화국 군주의 지배하에 있었어.

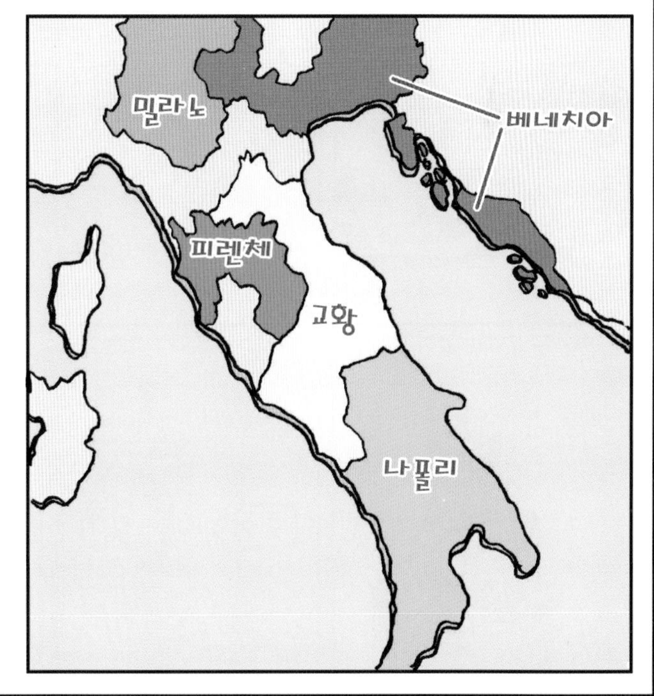

밀라노
베네치아
피렌체
교황
나폴리

다섯 지배자들에게는 두 가지 중요한 목표가 있었어.

하나는 어떤 군대도 이탈리아로 침입하지 못하도록 만드는 것이고,

이탈리아

또 하나는 자기들 다섯 중 어느 한 나라도 지나치게 강대해지지 못하도록 견제하는 일이었어.

으르르릉

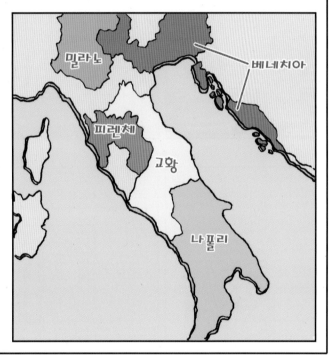

그 중에서도 가장 두려운 존재는 베네치아 공화국의 군주와 교황이었어.

교황
베네치아

베네치아 세력을 억제하기 위해 나머지 네 나라 군주들은 동맹을 맺었어.

또한 교황을 견제하기 위해 로마의 귀족들을 활용했지.

교황

로마의 귀족 중에서 특히 오르시니 가문과 콜론나 가문의 귀족들이 활용되었어.

오르시니
코론나

두 가문의 귀족들은 워낙 적대감이 강해서 교황의 면전에서도 완전 무장한 채 맞설 정도였어.

이들은 교황을 나약하고 무력한 존재로 만들었지.

척

물론 식스토 4세와 같이 대담한 교황의 재임 시절에는 정도가 덜 했지만 말이야.

교황의 세력이 약했던 큰 이유 중 하나는 교황의 단명이었어.

퇴장

교황의 재위 기간이 평균 10년을 넘지 못했는데, 이 짧은 기간 동안 오르시니 가와 콜론나 가를 진압하기란 매우 어려웠거든.

하
하
하

이런 이유로 이탈리아에서 교황의 힘은 거의 무시당했던 거야.

이탈리아

그런데 알렉산데르 6세가 교황으로 등극한 후에 상황이 달라졌어.

험

알렉산데르 6세는 돈과 무력을 이용하여 교황권을 강력하게 확립했기 때문이야.

교황권

알렉산데르 6세는 아들인 체사레 보르자를
잘 활용했고,
다
다
다

프랑스의 이탈리아 침입과 루이 12세의 군대를
적절히 이용했지.
와 아 아

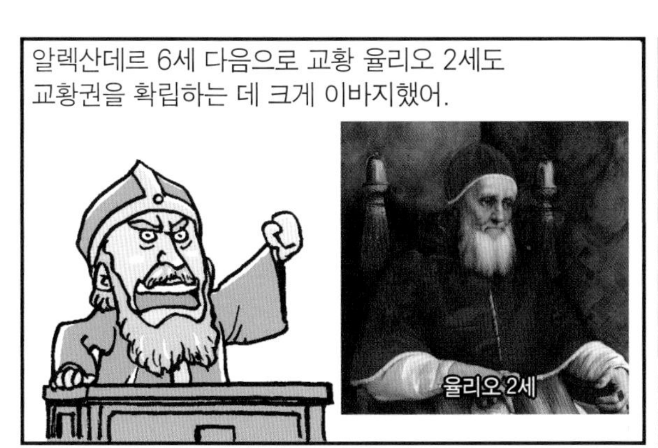
알렉산데르 6세 다음으로 교황 율리오 2세도
교황권을 확립하는 데 크게 이바지했어.
율리오 2세

그는 베네치아 공화국을 공략했고,
뿅
뿅
베네치아
공화국

이탈리아에서 프랑스를 몰아내는 데 성공했거든.
촤 악
프랑스
이탈리아

더욱이 율리오 2세는 개인적인 욕심이 아니라 로마 교회의
이익을 위해서 이런 일을 했기 때문에 더욱 큰 명성을
얻었어.

전임 교황들이 무력으로
교황권을 강화시킨 반면,
이어서 등극한 레오 10세는
휙

자신의 관대함과 다양한 역량을
발휘하여

교회 군주국을 훨씬 강성하고 존경받도록
만들었어.
레오 10세 교황
교회 군주국

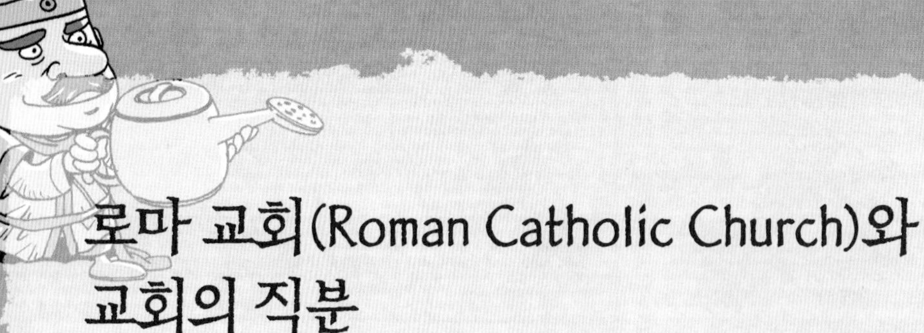

로마 교회(Roman Catholic Church)와 교회의 직분

로마 교회란 사도 베드로의 후계자로 불리는 교황을 중심으로 한 가톨릭교회입니다. 신도 수는 약 12억 명에 이르며 동방정교회, 개신교(장로교, 침례교, 감리교 등) 등과 함께 기독교를 이룹니다. 한자를 사용하는 나라에서는 천주교(天主教)라고도 부릅니다. 로마 교회라는 이름을 얻은 것은 중세기 때 로마 제국의 통치 조직을 본 따서 교회의 조직을 만들었기 때문입니다. 로마 교회를 이루고 있는 직분에는 어떤 것이 있는지 알아봅시다.

교황(Pope, 教皇)

베네딕토 16세

교황은 그리스도의 대리인이고, 사도 베드로의 후계자이며, 가톨릭교회의 수장입니다. 교황은 사제들의 보필을 받아 전 세계의 가톨릭교회를 다스립니다. 또한 바티칸시국의 국가 원수이기도 합니다.

가톨릭교회에서는 '교황은 교리의 머리로서 신앙과 도덕에 관한 교리를 공적인 자리에서 가르칠 때는 그르침이 없다.'라고 주장을 합니다. 즉 교황의 가르침에는 오류가 없다는 말이지요. 하지만 중세 시대 때 수많은 교황들이 정신적, 육체적으로 타락했고 그 결과 종교 개혁이 일어나기도 했습니다.

교황은 '콘클라베(conclave)'라고 하는 선거로 뽑습니다. 교황 선거권을 가진 추기경들이 시스티나 성당에 모여 교황이 선출될 때까지 비밀 투표를 반복합니다. 2/3 이상의 표를 얻으면 교황이 될 수 있습니다. 지금의 교황은 265대 교황으로 베네딕토 16세입니다.

추기경(Cardinal, 樞機卿)

추기경은 로마 교회의 교황 다음 가는 최고위 성직자입니다. 교황청의 장관직을 수행하거나 각 나라의 가톨릭교회를 다스립니다. 추기경은 주교 중에서 뽑습니다. 현재 전 세계에 163명의 추기경이 있습니다. 우리나라에서는 1969년에 서울 대교구장이었던 김수환 추기경이 최초의 추기경이고, 그

후 정진석 대주교가 추기경으로 서임되었습니다

주교(Bishop, 主教)

가톨릭교회에서 각 교구를 통솔하는 성직자입니다. 그리스 어로 '감독하는 자'라는 의미를 지니고 있습니다. 다른 말로는 사교(司教)라고도 합니다. 로마 교황도 주교 중의 한 사람입니다. 주교의 종류로는 총대주교, 대주교, 주교, 명예주교 등이 있습니다. 지역 교회의 추천을 받아 최종적으로 교황이 임명합니다.

예수가 최후의 만찬에서 행한 성사는 가톨릭 미사의 원형이 되었다.(〈최후의 만찬〉 레오나르도 다 빈치)

주교는 신부나 부제에게 서품을 줄 수 있고, 신도들의 세례 성사, 견진 성사, 혼배 성사 등을 관장할 수 있습니다.

사제(Priest, 司祭)

가톨릭교회에서 성사와 미사를 집행하는 성직자를 말합니다. 사제에는 교구에 속하는 교구 사제, 수도 생활을 하는 수도 사제, 선교를 중점적으로 하는 선교 사제가 있습니다. 주교의 지도를 받아 일반 신도들을 관리하고 가르칩니다. 가톨릭교회의 사제는 결혼할 수 없으며 결혼한 자는 사제가 될 수 없습니다.

6장

군대의 종류와 군주의 국방의 임무

지금까지 우리는 군주가 국가를 얻고 지키는 여러 가지 방법에 대해 논의했어.

군주국

이제부터는 군주라면 꼭 알아야 할 군사적인 공격과 방어 방법에 대해 살펴보자.

마키아벨리는 국가가 의지하는 가장 중요한 토대는 훌륭한 법률과 강력한 군사력이라고 했어.

법률

강력한 군대가 없으면 훌륭한 법률도 존재할 수 없다고 했지.

법률

이번 장에서는 군사에 관련된 이야기를 집중적으로 할 거야.

군사

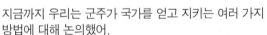

군주가 가질 수 있는 군대로는 용병대, 외국 원군, 혼성군, 자국 군대 등이 있어.

용병대
외국원군
혼성군
자국군대

이 중에서 용병대와 외국 원군은 군주에게 매우 위험한 군대야.

외국원군
용병

용병대로 국가의 기반을 닦은 군주는 장래의 안정을 보장받을 수 없어.

국가
용병

용병대는 규율이 없는 오합지졸이고,

낄
낄

개인적인 야심이 가득한 군대로 믿을 수가 없기 때문이야.

용병들은 적과 대치할 때는 비겁하고,

신에 대한 두려움이 없고,

퍽

인간에 대한 충성심도 없는 사람들이야.

낄
낄

용병들은 군주가 공격당하지 않을 동안에만 군주를 보호하려고 해.

용병에게 의지하는 행위는 군주가 자신의 처지를
평화로울 때에는 용병들에게,
용병

전쟁 때에는 적군에게 맡기는 것이나 다름없어.
으 아 아
적군

용병들이 이런 행동을 하는
것은 얼마 안 되는 보수를
바라며 일할 뿐,

그 외에 어떤 열정이나 의지도
가지고 있지 않기 때문이야.
의지
열정

그래서 그들은 전쟁이 발발하게 되면
도망쳐서 보이지 않게 되지.
텅
텅

오늘날 이탈리아가 이처럼 나약한 나라가 된 것도
바로 용병대를 신임했기 때문이야.
이탈리아

프랑스의 샤를 8세가 이탈리아를 침략했을 때 그는
백묵 한 자루로 이탈리아를 점령할 수 있었어.
으쌰
쿵
백묵

이탈리아가 고용한 용병들은 모두 도망갔으므로
후 다 닥

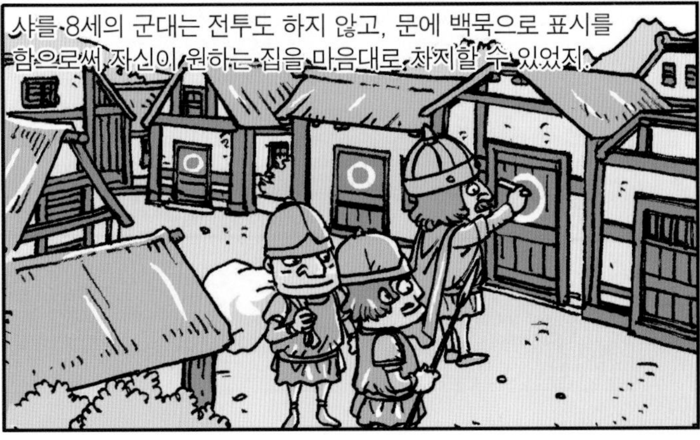
샤를 8세의 군대는 전투도 하지 않고, 문에 백묵으로 표시를
함으로써 자신이 원하는 집을 마음대로 차지할 수 있었지.

용병으로 피해를 입은
나라로 고대 국가인
카르타고도 있어.
카르타고

당시 카르타고의 용병대
지휘관은 카르타고 출신이었어.
카르타고

그럼에도 불구하고 용병들은 로마와
제1차 포에니 전쟁을 치른 후
와 아 아 아

기원전 241년에 일어난 이른바 노예 전쟁에서
와 아
와 아

자신들을 고용한 주인들을 공격했고, 도시를 파괴했어.

용병 대장이 남의 나라를 빼앗은 예도
여럿 있어.

알렉산드로스 대왕의 아버지인 마케도니아의 필리포스 2세는 테베
시민들로부터 용병대의 대장으로 추대되었어.

하지만 그는 대장이 된 지 10년도 채 지나지 않은 기원전
338년에 카이로네이아 전쟁에서 승리를 거두자마자

테베 시민들의 자유를 빼앗아 버렸어.
척
테베

1447년에 밀라노 시민은 베네치아 공화국과 싸우기 위해 프란체스코 스포르차를 용병대 지휘관으로 고용했어.
프란체스코 스포르차

그러나 스포르차는 카라바지오에서 베네치아 군을 패배시킨 후에
베네치아
카라바지오

자기를 고용한 고용주인 밀라노를 제압하기 위해 오히려 베네치아와 동맹을 맺었어.

물론 이들과는 달리 용병을 고용해서 원하는 바를 이룬 나라도 있어.

베네치아와 피렌체가 여기에 해당하는데
베네치아
피렌체

이들 나라는 용병대를 잘 이용해서 군주의 지배권을 확립하는 데 도움을 얻었어.
다 다닥~
지배권
용병

용병 대장들은 스스로 군주가 되지 않았고, 고용주인 군주를 충실하게 보위했거든.

하지만 마키아벨리는 이런 일은 매우 예외적인 것으로 운이 좋았기 때문이라고 했어.
노력
운

왜냐하면 피렌체의 용병 대장들은 승리를 못 거둔 자,
경쟁 세력에 눌린 자, 야심을 다른 곳으로
돌린 자들이었기 때문이야.

피렌체

만약에 피렌체의 용병 대장들이 자신들의 뜻대로 승리를
거두었거나 경쟁에서 이겼거나 흑심을 가졌다면

피렌체는 용병 대장들 마음대로 처분되었을
것이 분명해.

피
렌

한편 베네치아는 처음에는 시민들이 중심이 되어 적과
싸우며 나라를 지켰어.

베네치아

그런데 내륙에서 전쟁을 하기 시작한 후부터
용감한 기풍은 없어지고,

끄응...

이탈리아 본토의 군사적 전통을
따르기 시작했어.

이탈리아

내륙으로 세력을 확장하기
시작하던 초기의 베네치아는
영토가 크지 않았고,

베네치아
내
륙

나라도 힘이 있었으므로 용병 대장
정도를 특별히 두려워할 필요도
없었어.

흥

그런데 카르마뇰라가 용병을 이끌고 세력을 확장하면서부터 문제가 생기기 시작했어.

와 아 아

물론 베네치아의 시민은 그가 밀라노 공을 쳐부수었을 때 그를 역량 있는 인물로 인정했어.

그렇지만 시간이 지날수록 그가 전쟁에 열의를 갖지 않고 있음도 알게 되었어.

툭

그래서 베네치아 시민들은 카르마뇰라를 계속 고용해서는 전쟁에서 최종적으로 승리하기 어렵다는 것을 깨닫게 되었지.

하지만 그를 해고할 수도 없었어.

끙
해고장

카르마뇰라의 도움을 받아 이미 점령한 지역을 상실하게 되는 것이 두려웠기 때문이야.

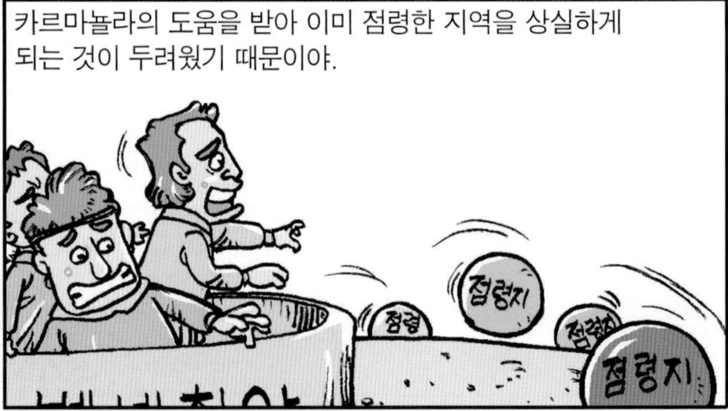
점령지
점령지

이러한 진퇴양난 속에서 베네치아는 결국 국가의 안전을 위해 그를 처형하고 말았어.

그 후 베네치아는 용병 대장으로 바르톨로메오 다 베르가모, 로베르토 다 산 세베리노, 피틸리아노 백작 등을 임명했으나

그들은 영토를 획득하기는커녕 오히려 빼앗기지 않을까 걱정만 하는 무능력한 사람들이었어.

안절부절
영토

걱정은 얼마 가지 않아 현실이 되었지.

베네치아 공화국은 8백 년에 걸쳐 끊임없는 노력으로 얻은 영토를 바일라 전투에서 단 하루 만에 잃어버렸어.

베네치아

바일라의 전투는 1509년 5월 14일 베네치아와 교황 율리오 2세의 군대 사이에 벌어진 전투야.

그러면 왜 이탈리아는 대대로 용병제를 채택하게 되었을까?

용병제
이탈리아

지금부터 이탈리아에서 용병제의 기원을 살펴보고,

이탈리아
용병제

용병대를 다른 군대로 바꿀 방법에 대해 고민해 보자.

?
용병제

이탈리아가 수많은 작은 나라로 분열된 것은 황제의 권력이 이탈리아에서 약화되고,

툭
이탈리아

로마 교황의 세속권이 강화되기 시작할 무렵이었어.

세속권

이탈리아 대도시의 시민들은 황제의 비호 아래 도시를 지배하고 있던 귀족에 대항하여 무기를 들었어.

로마 교회는 교회의 세속권을 확대시키기 위해 도시 시민들의 반란을 원조했지.

그 결과 여러 도시에서 일개 평범한 시민이 군주에 오르는 일이 일어났어.

도시
도시
도시

이탈리아는 로마 교회와 몇 개의 공화국으로 분열되었지.

쩍
적

성직자나 새로 군주가 된 일반 시민은 군사에 관해 아는 것이 별로 없었어.

?
군사
?

그래서 용병을 고용하여 자신의 지배권을 강화시키려고 했지.

지배권

이때 고용된 대표적인 용병 대장으로 로마냐 출신의 알베리고 다 코니오를 들 수 있어. 그는 나중에 브라초 다 몬토네와 스포르차에게 용병의 전투 기술을 가르치기도 했어.

이탈리아는 이들과 같은 용병 대장들에 좌지우지되었고, 그 결과 프랑스의 샤를 8세와 루이 12세, 에스파냐의 페르난도 등에게 침략과 약탈을 당하는 수모를 겪어야 했어.

이탈리아

용병제가 이탈리아를 노예와 치욕의 땅으로 전락시키고 말았던 거야.

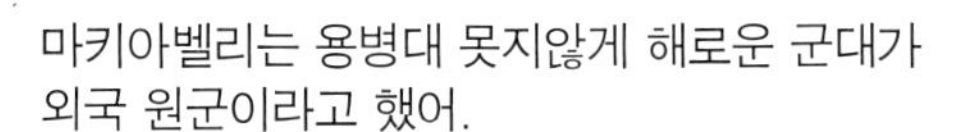

마키아벨리는 용병대 못지않게 해로운 군대가
외국 원군이라고 했어.

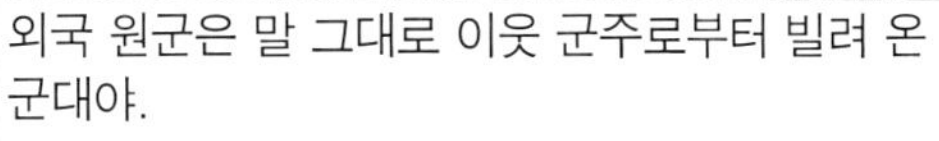

외국 원군은 말 그대로 이웃 군주로부터 빌려 온
군대야.

나라
나라

로마 교황인 율리오 2세가 에스파냐의 왕
페르난도에게 원군을 요청한 것이 좋은 예야.

에스파냐

율리오 2세 교황은 페르난도에게 300명의 에스파냐 창기병을
요청했고, 이들은 교황 군과 함께 1510년에 페라라를 습격했어.

우르르
페라라

하지만 외국 원군은 예외 없이
해로운 존재야.

그들이 패배하면 그와 함께
군주의 대의명분은 실추되고,

반대로 승리하면 군주는 그들의
포로 신세가 되지.

율리오 2세가 페라라를 탐낸 나머지 외국 원군을 불러들여
그들에게 자신의 운명을 맡긴 것은 아주 위험한 행동이었어.

운명

그러나 그는 매우 운이 좋게도 제3국의
군사 행동 덕분에 위기를 모면할 수
있었어.

운명
제3국

1512년 4월 11일에 있었던 라벤나 전투에서
율리오 2세와 그의 외국 원군은 프랑스에 패했어.
프랑스

그런데 같은 해 5월에 약 2만 명의 스위스 군이
이탈리아를 습격하여 프랑스 군을 내쫓았어.
스위스
프랑스

프랑스 군이 도망간 덕분에 교황은 적의 포로가
되지 않았지.
휴
우
프랑스

그리고 스위스 군 덕분에 에스파냐 군대의 포로도
되지 않았어.
스위스

하지만 외국 원군을 끌어들인
군주들은 대부분 피해를 입었어.
피렌체

1500년 여름에 피렌체 공화국은
군사적인 준비를 갖추지 않은 상태에서
피사를 공략해야 했기에
피사

프랑스 군 1만 명을 끌어들였어.
프랑스

이 일로 피렌체는 말할 수 없는
위험에 처했어.
쩌
피렌체
적

외국 원군으로 온 프랑스 군대와 스위스 군대의 병사들이
더 많은 보수를 요구하며 폭동을 일으켰기 때문이야.

그 결과 피사 정복은 실패하고 말았어.
피사

당시 마키아벨리도 루이 12세에게 가서 피렌체의 공격이 실패한 까닭을 설명해야 하는 대표단 중의 한 사람이었지.

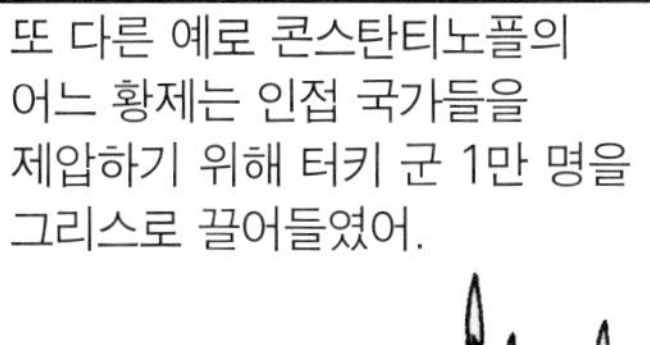
또 다른 예로 콘스탄티노플의 어느 황제는 인접 국가들을 제압하기 위해 터키 군 1만 명을 그리스로 끌어들였어.

터키

그런데 전쟁이 끝났는데도 터키 군은 자국으로 돌아가기를 거부했어.
GO-!
NO-!

이 사건으로 그리스는 이교도에게 예속되었지.
이교도
그리스

어떤 의미에서 외국 원군은 용병대보다 훨씬 더 위험해. 외국 군대를 끌어들인 군주는 대부분 파멸하게 되지.

외국 원군은 그들의 지휘관에게 복종하도록 고도로 훈련받은 매우 단결된 조직체이므로 그들을 불러들인 군주를 공격할 때도 용병보다 훨씬 신속하고 정확하기 때문이야.
으 아 아

그러므로 현명한 군주는 항상 이런 군대를 멀리하고 자국 군대를 준비하지.
외국원군

용병이나 외국 원군에 의해 얻은 승리는 참된 승리가 아니야.
뻥
승리

이들의 도움으로 승리할 바에는 차라리 자력으로 싸우다가 패배하는 것이 나을지도 몰라.
졌소!
!

마키아벨리는 용병과
외국 원군을 잘 이용한 예로
체사레 보르자를 들었어.

보르자는 외국 원군(프랑스 군)과
함께 로마냐에 들어가 포를리를
점령했어.
포를리
로마냐

그런 후 보르자는 프랑스 군대를
신뢰할 수 없음을 곧 깨닫고,

그보다는 덜 위험한 군대로서 용병대를 선택해
오르시니와 비텔리를 용병으로 고용했지.

보르자는 이들 용병 역시 자신의 정복 사업을
완수하는 데 끝까지 의지할 상대가 못 됨을 알았고,
흥
?

오히려 위험하다는 것을
깨달은 후 그들을 해고했지.
뻥

그런 후 그는 자국 군대에
의지했어.

보르자가 자국 군대를 완전히 장악하고
있을 때 사람들은 그를 더욱 높이
평가했고 그의 인기도 높아졌어.

마키아벨리는 또 자국
군대를 잘 활용한 군주로
시라쿠사의 히에론 2세를
예로 들었어.

히에론 2세는 시라쿠사 시민들에
의해 군대의 지휘관으로 추대된
사람이야.

당시 히에론 2세는 자신의 통솔을
받는 용병대가 이탈리아 용병대와
같은 식으로 조직되어 있기에
별로 쓸모가 없다는 것을 금방
깨달았어.
후우

그들을 유지하는 것은 쉬운 일이 아니었고, 해산시키는 일은 더욱 어려웠어.

해산~!
....?

그래서 히에론 2세는 아예 그들을 모조리 없애 버렸어.

그런 후에 다른 사람의 군대가 아닌 자신의 군대로 전쟁을 수행했지.

와 아 아

혼성 부대의 예로 프랑스 군대를 들 수 있을 거야.

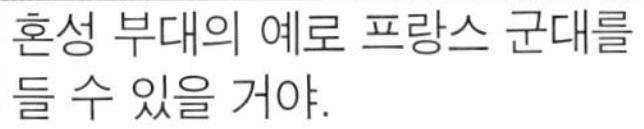

프랑스

프랑스의 왕 샤를 7세는 프랑스를 영국의 지배로부터 해방시키기 위해 일종의 국민군을 조직했어.

영국
국민군 모집
프랑스

그리고 기병과 보병 훈련을 위한 제도를 확립하여 강한 군대로 만들려고 했지.

그러나 그의 뒤를 이은 루이 11세는 1474년에 아버지가 만든 법령을 폐지하고

법령

스위스 용병을 고용하기 시작했어.

스위스

루이 11세는 스위스 용병에 대해 대단한 명성을 부여하고 대신에

짱이에요!

자신의 군대의 가치를 깎아내리는 큰 실수를 했어.

꺼져!

나아가 그는 프랑스 보병을 완전히 폐지하고는 외국 용병에 의지했어.

폐지

그후 프랑스 군은 일부는 용병, 일부는 자국 군대로 이루어진 혼성 부대 형태를 이루었어.

프랑스군

덕분에 프랑스는 스위스 보병의 도움 없이는 전쟁에서 승리를 장담할 수 없게 되었지.

승리

혼성 부대는 단순한 외국 원군이나 용병 군대보다 낫지.

혼성부대
용병군대
외국원군

하지만 자국 군대에 비하면 훨씬 열등해.

만일 프랑스가 샤를 7세가 만들었던 군사 조직을 계속 시행하거나 강화했더라면 무적의 군대가 되었을 거야.

슈 웅

거대한 로마 제국이 멸망하게 된 근본 원인은 바로 고트 인을 용병으로 고용하기 시작한 데 있어.

로마제국
고트
고트
고트

그 이후로 로마 제국의 위세는 점차 약화되었고 결국 제국은 허물어졌던 거야.

로마제국
와르르
고트
고트

자국 군대를 보유하고 있지 않으면 어떤 군주국이라도 진정 안전할 수 없어.

우지끈
군주

여기서 자국 군대는 군주 자신의 군대인데 신하들, 시민들, 혹은 군주의 부하들로 구성된 군대를 말하는 거야.

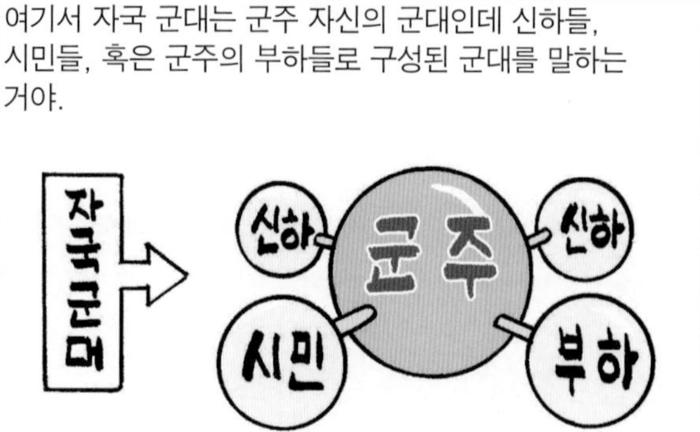
자국군대
신하
군주
신하
시민
부하

군주는 군사 조직 및 훈련, 그리고 전투에 관련된 일을 빼고는 어떤 일에도 관심을 두어서는 안 되며,
군사

군사와 관련되지 않은 직무를 가져서도 안 돼.
흥
무역

군사에 관련된 일이 통치자에게 가장 중요한 일이기 때문이야.
군사

군사에 관련된 일은 군주의 지위에 있는 사람이 나라를 보전하는 힘을 키우는 일일 뿐만 아니라,
훅
훅

한낱 평범한 시민이 군주의 지위에 오르게 하는 힘의 원동력이 되기도 해.
군 주

군주가 나라를 잃는 첩경은 바로 군사와 관련된 직무를 소홀히 하는 데 있어.
나
군
사
라

또한 나라를 얻는 첩경도 군사에 관련된 직무를 열심히 하는 데 있어.
군사
나 라

프란체스코 스포르차는 무력을 완비하고 있었기 때문에

일개 평민에서 일약 밀라노의 공작으로 출세할 수 있었어.
공 작
밀 라 노

그러나 그의 후계자들은 국방에 관련된 일을 귀찮은 것이라고 피했기 때문에
국방

그 자리에서 축출되어 평범한 시민으로 전락하게 되었지.
뻥
공작

군주가 국방에 관련된 일을 제대로 하지 않아서 받는 피해에는 여러 가지가 있어.
국방

대표적인 것이 업신여김을 받게 되는 거야.
끙

실제로 무력을 가진 사람과 갖지 않은 사람은 대접이 달라.
텅…

군사에 정통하지 않은 군주는 부하들로부터 존경을 기대하기 어렵지.
군사

그러므로 군주는 군사와 관련된 일에 늘 관심을 두어야 해.
군사

나라가 평화로울 때에 더욱 더 군사와 관련된 일에 관심을 가지고 국방을 든든히 해 두어야 해.
국방

군주는 국방의 임무를 두 가지 방법으로 수행할 수 있는데,
신체 단련과 정신적 훈련이야.
1.신체적 단련
2 정신적 훈련

신체적 단련은 병사를 잘 조직하고 군기를
확립하며
다
다 다
다 다

군사 훈련을 실시하는 것이
기본이야.
퍽
퍽

여기에 더해 군주는 사냥을 많이 하는
것이 좋아. 그렇게 함으로써 군주는
자기 몸을 단련시킬 수 있고,

군사 작전에 필요한 지형을
숙지하게 되는 거야.
!

아카이아의 군주 필로포메네가
좋은 예가 될 거야.

그는 평소에 오직 군사적인 전술에 관한 일만 궁리한 군주로
역사가들이 높이 평가하는 인물이야.
No-1
1
전술

예를 들어 필로포메네는 친구들과 야외에 나갔을 때에도
그들에게 '가령 적이 저 언덕을 점령하고 있고, 우리가 이곳에
포진하고 있다면 어느 편이 더 유리하겠는가?'

또는 '이곳 진형*을 무너뜨리지 않으면서 어떻게 우리는 그들에게 접근할 수 있을 것인가?
등의 질문을 자주 했다고 해.

* 진형(陣形): 진지의 형태.

이처럼 필로포메네는 산책을 하는 동안에도
친구들에게 군대가 직면할 수 있는 모든 전략적
문제를 물어보고,

친구의 의견을 듣고 또 자기 의견도 말하면서 전술을
발전시켜 나갔어.

그 결과 그는 스스로 군대를
지휘하게 되었을 때

어떤 예기치 못한 상황이 전개되어도 효과적인 대책을 세울 수 있었어.

한편 군주는 정신적 훈련을 위해
역사서를 읽고

역사

그것을 통해 위인의 행적을
돌아봐야 해.

군주는 위인들이 전쟁을 할 때
어떻게 지휘했는가를 분석하고,

전쟁

그들의 승패 원인이 어디에 있는지를 검토해야 해.
성공
실패

그래서 그들의 성공을 귀감으로 삼고, 그들의 실패를 피할 수 있어야 하지.
성공
뻥
실패

알렉산드로스 대왕은 아킬레스를,

카이사르는 알렉산드로스를,

그리고 스키피오*는 키루스 왕을 본보기로 삼았다고 해.

* 스키피오: 로마의 귀족으로 제2차 포에니 전쟁에서 한니발을 격파하고 로마에 승전을 바쳤다.

키루스 왕의 전기를 읽은 사람이라면 누구나 스키피오의 일생이 얼마나 키루스 왕을 많이 모방했는지 알 수 있을 거야.
키루스

또 그 모방이 스키피오의 영광에 어느 정도 기여했는지 알 수 있을 거야.

국방의 임무를 다하기 위한 신체 단련과 정신적 훈련은 현명한 군주라면 마땅히 해야 할 일이야.
역사

그래야만 역경에 처했을 때 충분히 극복할 수 있어.

역경

군주는 운명이 바뀌었을 때에도 그 운명을 이겨 낼 수 있는 마음가짐을 가지고 있어야 하거든.

엽!

운명

이탈리아의 도시 국가들

마키아벨리가 활동하던 시기에 이탈리아는 프랑스나 에스파냐(스페인), 영국 등의 다른 나라와는 달리 하나의 강력한 통일 국가가 아니라 여러 개의 도시 국가들로 이루어져 있었습니다. 이탈리아가 도시 국가들로 이루어진 이유는 11세기 이후 상업의 발달과 십자군 전쟁으로 인해 이탈리아의 도시들이 크게 번성하여 정치적으로 자치 국가 형태를 띠게 되었기 때문입니다. 이는 문화의 다양성을 극대화시켜 르네상스가 일어나는 계기가 되었지만 주변 강대국들의 침략을 많이 받는 약점이 되기도 했습니다. 이탈리아를 이룬 대표적인 지방 도시 국가에 대해 알아보지요.

밀라노 공국(Ducato di Milano)

밀라노 공국은 이탈리아의 북부에 있는 밀라노를 중심으로 한 도시 국가입니다. 14세기 초 귀족들의 지지를 받은 비스콘티 가문이 지배 세력으로 자리 잡았습니다. 1395년 비스콘티 가문은 신성 로마 제국으로부터 공작의 작위를 받아 밀라노는 공국이 되었습니다.

1447년에 비스콘티 가문의 남자 후손이 끊기자 당시 비스콘티 가문의 용병 대장이었던 프란체스코 스포르차가 무력으로 권력을 잡았습니다. 스포르차는 1450년에 공화국 선포를 하고 스스로 영주가 되었습니다. 프란체스코 스포르차가 죽은 후 그의 아들인 갈레아초 마리아 스포르차가 권력을 승계했는데 그는 폭정을 펼쳐 시민들에게 살해당했습니다. 1535년 스포르차 가문도 대가 끊겼고 권력 공백이 이어지다가 신성 로마 제국과 프랑스 왕국이 밀라노 공국을 서로 차지하려고 70년 동안 전쟁을 벌였습니다. 전쟁이 끝난 후 밀라노 공국은 에스파냐 등의 지배를 받다가 1797년에는 프랑스에 정복되었습니다. 다시 오스트리아 제국의 지배에 들어갔다가 1861년 이탈리아 왕국의 일부가 되었습니다.

프란체스코 스포르차(왼쪽)는 밀라노 공작에 대한 충성심을 입증하기 위해 그의 딸 비앙카 마리아 비스콘티(오른쪽)와 결혼했다.

베네치아 공화국(Serenissima Repubblica di Venezia)

베네치아 공화국은 이탈리아 북부에 있는 도시 베네치아를 중심으로 한 도시 국가입니다. 영어로는 '베니스'라고 부릅니다. 9세기 무렵부터 아드리아 해의 활발한 상업 무역으로 크게 번영했습니다. 14세기 중엽에는 유럽 제1의 해상 도시 국가로 발돋움했습니다. 15세기에는 정치적, 경제적으로 안정된 도시 국가로 후기 르네상스 문화의 중심지가 되었으며 최대 전성기를 구가했습니다.

베네치아 공화국의 중심 수로인 그란데 운하의 상업 중심지 리알토 다리를 그린 그림.

프랑스 대혁명이 일어난 후 유럽의 강호들 사이에서 등거리 외교를 하며 비무장 중립국으로 있었으나 1797년 나폴레옹에 의해 멸망당한 후 오스트리아에 병합되었습니다. 1848년에 다시 베네치아 공화국으로 부활했으나 다음 해 소멸되었습니다. 1866년 이후 이탈리아 왕국에 병합되었습니다.

피렌체 공화국(Repubblica Fiorentina)

마키아벨리의 고향인 피렌체 공화국은 이탈리아 중부에 있는 토스카나를 중심으로 발달한 도시 국가로 수도는 피렌체입니다. 피렌체는 12세기부터 모직 산업이 크게 발달하였고 이를 바탕으로 유럽의 상공업과 금융업의 중심지가 되었고 15세기부터는 이탈리아 문화의 중심지로서 르네상스의 황금 시대를 열었습니다.

FIORENZA

15세기 피렌체의 전경이 담긴 이 그림에는 종교적 · 정치적 중추인 피렌체 성당과 시뇨리아 궁전, 그리고 이 도시 국가의 경제적 성장에 크게 공헌한 아르노 강이 특히 두드러진 모습으로 묘사되었다.

피렌체 공화국은 1434년 이후 메디치 가문이 권력을 독점했습니다. 1532년에 알레산드로 데 메디치가 교황 클레멘스 7세로부터 공작 작위를 받음으로써 공화정은 폐지되고 군주제 국가인 피렌체 공국이 되었습니다. 1569년 토스카나 대공국이 되었다가 1859년 이후 이탈리아 왕국에 합병되었습니다.

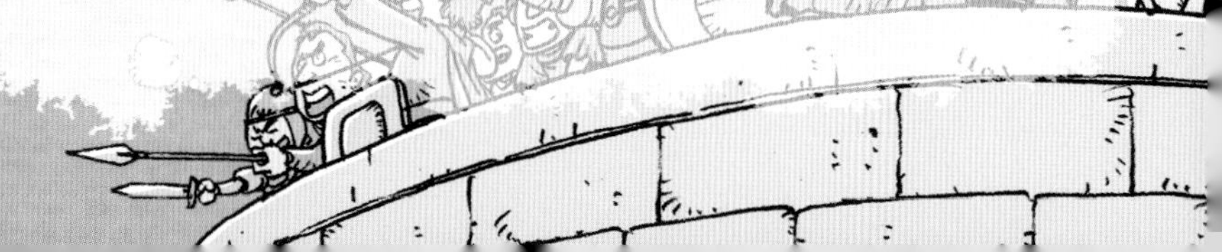

7장
군주가 가져야 할 성품 1
군주의 성품

군주는 신하나 자기 사람들을
어떻게 대해야 할까?

훌륭한 군주가 되려면 신하와 자기
사람들을 존중하고 진심을 다해
대해야 한다는 것을 역사책이나
역사 드라마에서 많이 봤을 거야.
역사

좋은 예로 한글을 창제한 세종대왕을
들 수 있지.

세종대왕은 집현전에서 밤늦게
일하는 학자들을 찾아가 자신의
옷을 벗어 차가운 밤기운을
막아 주었고,

비천한 신분인 사람들도 능력을
보고 뽑아서 많은 일을 하게 했어.

덕분에 장영실과 같은 이는 후대에
길이 남을 여러 가지 과학 발명품들을
만들 수 있었지.
測雨臺

이처럼 군주가 어떤 성품을 가지냐에 따라 나라 전체 분위기가 달라지지.

그러므로 군주의 성품은 매우 중요해.

서양에서도 오래전부터 군주의 성품에 대해 많은 이들이 논의를 해 왔어.

군주는?
군주란~!
뭐~?
서 양

대표적인 사람으로 고대 그리스의 철학자 플라톤을 들 수 있어.

플라톤은 철학을 하는 궁극적인 목표는 선과 정의의 이데아를 국가를 통해서 실현하는 것이라고 했어.

이데아
국 가

플라톤은 이를 이상 국가라고 했지.

이상국가

이상 국가의 목적은 어떤 한 계급의 사람들만 행복하게 하는 것이 아니라 나라 안의 전체 사람에게 행복을 주는 것이야.

행복
이상 국가

이를 위해서 플라톤은 국가의 구성원을 통치 계급(왕),

국가
왕

수호 계급(군인),

수호계급(군인)

생산 계급(농민이나 노동자) 등 세 종류로 분류했어.

생산계급(농민, 노동자)

이들 각각은 각자에 합당한 덕이 있으며

덕
덕
덕

이 덕목들이 국가 내에서 조화를 이룰 때 정의로운 이상 국가가 된다고 했지.

이상 국가
덕
덕
덕
덕
국 가

플라톤은 가장 중요한 요소가 머리 부분에 속하는 통치자, 즉 군주라고 했어.

통치자는 깊은 철학적 사색을 통해 지식으로 나라를 다스려야 하는데,

!~♫
국가

그러려면 통치자는 철학자, 즉 철인이 되어야 한다고 해. 이를 철인 정치라고 하지.

철인 정치!

그런데 마키아벨리는 군주에 대한 생각이 플라톤과는 많이 다른 것 같아.

마키아벨리는 매우 현실적인 눈으로 군주를 바라보았거든.

나는 사람들이 이상적으로 상상해 왔던 세계를 반복해 말하기보다는 구체적인 진실을 말하는 편이 좋다고 생각해.

현실

마키아벨리가 그렇게 생각한 이유는

!

이상적인 것을 얻기 위해 현실을 소홀히 하는 사람은

이상
현실

자신을 구제하기는커녕 파멸시키기 딱 좋기 때문이야.

으악!
쿵
이상

왜냐하면 무슨 일에서나 선을 최우선으로 내세우는 사람은

선

선하지 않은 사람들이 득실거리는 현실의 틈바구니 속에서

선

오히려 큰 상처를 받고 결국에는 파멸하게 될 가능성이 높기 때문이야.

펑

그러므로 파멸하지 않으려면 현실의 틈바구니에서 잘 살아야 하는데, 이를 위해서는 악인이 될 필요가 있어.

아아
현
실

특히 높은 신분을 지켜야 하는 군주는 선하기만 해서는 안 되는 거야. 악인이 되는 법도 알아야 해.

나아가 악을 필요에 따라 적절하게 사용할 줄도 알아야 해.

크아악

인간은 대체로 자신이 가진 성품 때문에 칭송을 받거나 비난을 받아.

특히 신분이 높은 군주는 보는 사람들이 많기 때문에 일반인보다 훨씬 자주 비난과 칭송을 받게 돼.

우리는 사람들을 평할 때 흔히 다음과 같은 말을 해.

?

저 사람은 욕심쟁이라든가,

구두쇠!

저 사람은 잔인하다든가,

저 사람은 믿을 수 없는데
이 사람은 신뢰할 만하다든가,

저 사람은 나약한데 이 사람은
용감하다든가,

저 사람은 정직한데 이 사람은
교활하다든가,

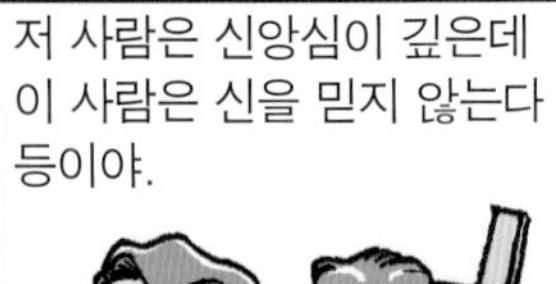
저 사람은 신앙심이 깊은데
이 사람은 신을 믿지 않는다
등이야.

만약에 군주가 앞에서 말한 성품
중에서 좋다는 것들을 모두 갖추고
있다면 사람들이 그 군주를 높이
칭송할 거야.

하지만 군주도 인간이므로 좋은
성품을 모두 가진다는 것은
현실적으로 불가능한 일이야.

성품
정직
용감

군주는 스스로 조심하여 나쁜 성품들을 사람들에게
보여서는 안 돼.

군주가 성품이 나빠 나라를 빼앗겼다는 불명예를
얻어서는 곤란하거든.

나가!
나라

그랬다가는 나라를 빼앗긴 후에도 크게
비난을 받을 거야.

군주는 나라를 지키는 데 꼭 필요한 나쁜 성품 외에
다른 나쁜 성품을 가지는 것을 되도록 피해야 해.

나라

만약 군주가 어떤 나쁜 성품을 행사해서 자기 나라를 구할 수 있다면

악한 성품을 행사하는 것은 괜찮아.
크릉

사람들의 비난이 두려워 악한 성품을 행사하는 일을 주저한다면

오히려 나라를 지키는 데 나쁜 영향을 미칠 수도 있어.
적
나
라

나쁜 성품이라도 나라를 지키는 데 도움이 된다면 적극적으로 사용하라는 말이야.
퍽
적

그러니까 나쁜 성품으로 보이지만
주춤
주춤

그것을 행함으로써 자신의 안전과 번영을 가져오는 경우도 있다는 사실을 명심해야 해.
와락
나라

반면에 좋은 성품이지만

그것이 군주를 파멸로 이끌어 가는 경우도 있다는 것을 잊지 말아야 해.
그꽥!

군주가 인심이 좋다는 평을 듣는
것은 좋은 일이야.

그러나 군주가 인심이 좋다는
평가를 받는 행위가

인심!
인심!
인심!
인
심

도리어 군주의 신세를 망치는
경우도 있다는 점을 잊지 말아야 해.
쿵

군주가 많은 사람들에게 인심이
후하다는 말을 들으려면 사람들에게
무엇인가를 계속 베풀어야 해.

사람들이란 아무것도 받지
않고는 그런 말을 하지 않거든.
?
?

그러다 보면 군주는 쓸데없는
허세를 부려야 하고 나중에는
전 재산을 탕진하게 될 거야.

군주는 부족한 재산을 다시 모으기 위해 백성들에게
엄청난 세금을 거두어서 큰 부담을 주어야 해.

결국 군주는 자신이 계속 인심이 좋다는 평가를 받기
위해 모든 방법을 동원하여 백성들의 돈을 우려낼 거야.

절대로 이렇게 하면 안 돼.
이것은 군주가 백성들에게
미움을 받는 첫 번째 단계야.
미
미움
미움
미움
미움
미움
미

또 군주가 가난해지면 그 누구도
군주를 존경하지 않아.

군주는 인심이 후하다는 소리를 들으려고
귀족과 같은 소수의 사람들에게만 은혜를
베풀었을 뿐

대다수의 사람들을 성나게
만든 거야.

만약에 군주가 이 사실을 깨닫고
자신의 행동을 바꾸려고 한다면
미안!
미안!

그동안 군주로부터 뭔가를 얻었던
귀족들이 군주를 인색한 사람이라고
막 비난할 거야.
구두쇠-!

군주가 생각이 깊은 사람이라면
이런 평가쯤은 무시해야 해.

사람들이 군주를 구두쇠라고
놀려도 아무렇지 않게 여길 줄
알아야 해.
짠돌이-!
구두쇠-!
욕심쟁이

그러는 동안 군주는 세입을
풍부하게 저축해서 재산을 늘릴
수 있어.

또한 백성들에게 조세 부담을 늘리지 않고도 전쟁과
같이 중요한 국가의 일을 잘 수행하는 군주라는
평가를 받게 될 거야.
good-!
good!
와아!
와!
으악!
악!

그러면 백성들은 자신들에게서 뭔가를 빼앗아가지
않았으므로 군주를 매우 능력 있고 관대한
사람이라고 평가할 거야.

반면에 소수의 사람들로부터는
아무것도 베풀지 않는 인색한
군주라는 평을 듣게 될 거야.
인색한...

하지만 이런 평가는
냉정하게 무시해도
좋아.
흥!

국가적으로 큰 사업들은 대부분 수전노라는 이름을
들었던 군주들에 의해서 이루어졌거든. 그렇지 않은
군주들은 모두 실패했어.

수전노
수전노
수전노

예를 들어 교황 율리오 2세는 교황 자리에 오를 때까지는 인심이 좋다는 사람들의 평을 잘 이용했어.
Good

하지만 그 후에는 전쟁을 치르기 위해 사람들의 평판 따위는 신경 쓰질 않았지.
변했어-!
흥!

프랑스 루이 12세는 국민들에게 많은 세금을 징수하지 않고도 여러 차례 전쟁을 잘 수행했어.

사실 루이 12세가 즉위했을 때 프랑스의 국고는 바닥이 난 상태였어.
애개-!
국고

루이 12세는 상당한 기간 매우 근검절약하는 생활을 했어.

그는 어떤 새로운 세금도 부과하지 않았지만
세금

이탈리아에서 2년간 전쟁을 하는 데 별 문제가 없었어.
?
와아
와아아
쿵
이탈리아

에스파냐 왕 페르난도 5세도 마찬가지야. 만약에 페르난도 5세가 관대하다는 사람들의 평가에 마음을 빼앗겼다면 그도 저축을 많이 하지 못했을 거야.
한푼!

하지만 루이 12세 못지않게 돈에 대해서는 신중하고 타산적이었지. 덕분에 그는 수많은 전투에 참가해서 승리를 거둘 수 있었어.
와아

어떤 사람이 로마의 카이사르가 관대하다는 평 때문에
로마 제국의 황제로 등극하지 않았느냐고 질문할 수도 있어.

그 질문에 대해 답을 하기 전에 한 가지
생각해야 할 것이 있어.

그것은 이미 그 사람이 군주가
된 사람인지,

아니면 앞으로 군주가 될 사람인지를
판단하는 일이야.
군주

첫 번째 경우라면 관대하다는
평판은 해가 돼.
떡
관대

하지만 두 번째 경우라면
오히려 관대하다는 평판이
필요해.
관대!
관대
주

카이사르는 로마 제국의 통치자가
되기를 원했던 사람들 중의 하나였어.
로마

그래서 그는 관대했지.

하지만 황제가 된 후에는
달라졌어.

황제가 된 후에도 계속 자신의
관대함을 자랑하기 위해 불필요한
지출을 삭감하지 않았더라면

그는 아마 제국 전체를 파멸시켰을
거야.
로
마

또 군주 중에는 매우 인심이 후하다는 말을 들으면서도

전쟁에서 승리한 성공적인 군주들이 많지 않느냐고 물을 수도 있어.

이 질문에는 군주가 돈을 쓸 때 군주 자신의 돈을 쓰느냐, 아니면 신하를 포함하여 다른 사람의 돈을 쓰느냐에 따라 다르게 답할 수 있어.

첫 번째 경우라면 당연히 절약해야 해.

그러나 두 번째 경우라면 돈을 물 쓰듯 써도 괜찮아.

이를테면 군주가 군대를 진두지휘하여 승리를 한 후에,

전리품을 얻고 약탈을 자행하고 징발을 마음대로 하며 남의 재산을 마음대로 처분하는 경우에는 관대해도 괜찮아.

와 아

그렇지 않으면 병사들이 군주를 따르지 않을 거야.

알렉산드로스 대왕이 정벌 전쟁 때 그렇게 했지.

다른 사람의 것을 낭비하는 것은 군주의 평판에 크게 누가 되지 않고 오히려 군주의 인심을 높여 주기도 하는 거야.

군주가 항상 경계해야 할 두 가지 일은 남에게 업신여김을 받는 것과 미움을 받는 거야.

이 두 가지 일을 당하게 하는 것은 군주의 쓸데없이 후한 인심이야.

탈
탈

후하게 보이고 싶다는 욕심을 채우려다가 백성들로부터 탐욕스러운 군주라는 오명을 얻는 것보다는

탐욕스런
군주

차라리 구두쇠 군주라는 평판을 참고 견디는 편이 훨씬 더 나을 거야.

구두쇠-!
구두쇠-!

군주는 잔인하다기보다는 인자하다는 평을 듣는 것이 좋아.

인자함
인자해
인자!

그러나 부득이하게 잔인하다는 소리를 들을 때도 있어.

잔인

사람들은 체사레 보르자를 잔인한 사람이라고 생각해 왔어. 그러나 그의 잔인함이 로마냐를 통일시켜 결국에는 나라 전체를 평화롭게 만들었어.

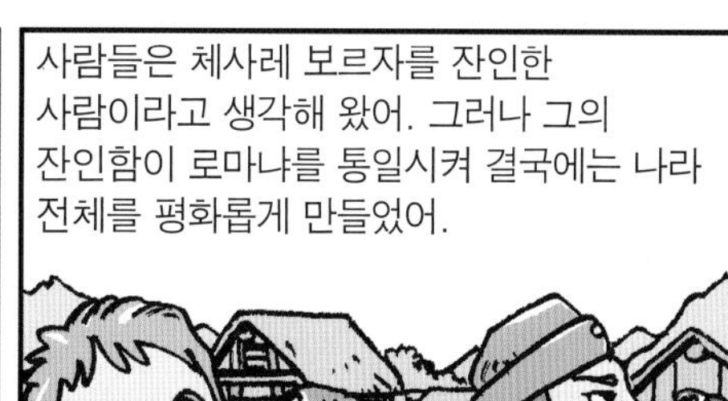

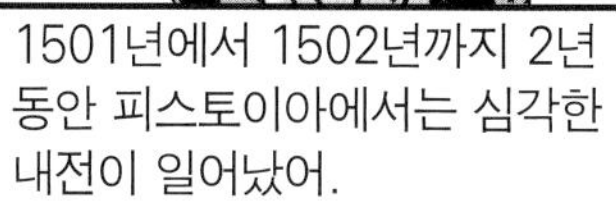

1501년에서 1502년까지 2년 동안 피스토이아에서는 심각한 내전이 일어났어.

피스토이아

이때 피렌체의 시민들은 잔인하고 냉혹하다는 말이 듣기 싫어서 피스토이아를 내버려 두어 멸망하게 만들었지.

이들에 비하면 결론적으로 보르자가 훨씬 자비로운 사람이라고 할 수 있어.

따라서 군주라면 누구나 자기 백성을 결속시켜 충성하게 만들고
충성!

또 나라를 안정시키기 위해서
!
시끌
시끌
나라

잔인하다는 소리를 들을 줄도 알아야해.
불안정

만약 군주가 마음이 나약해서 사회가 혼란스러워도 그대로 두고,

살인과 약탈이 난무하는 치안 부재의 상황이 닥쳐도 속수무책이라면

군주가 잔인하여 나라를 엄하게 다스리는 것보다 훨씬 못해.

군주의 잔인하고 냉혹한 명령은 몇 명에게 해당하지만,

전체에게는 안정이라는 이익을 줄 수 있거든.

특히 신생국의 군주는 나라가 아직 안정된 상태가 아니므로
웅성
웅성
신생국

다른 군주국의 군주보다 잔인하다는 악명을 피할 길이 없어.
잔인
화르륵

한편 군주는 다른 사람들에게
두려움의 존재가 되는 것이
좋을까?

아니면 다른 사람들로부터
사랑을 받는 편이 더 좋을까?

마키아벨리는 군주가 두 가지 덕목을
모두 갖추는 것이 좋다고 했어.

하지만 군주도 인간인지라
두 가지 덕목을 함께 가지는 것은
쉬운 일이 아니야.

두 가지 덕목은 어떤 면에서는
상반되는 것이기도 하거든.

그런데 만약 한 가지를 택한다면
두려운 군주가 되는 것이 좋아. 그 편이
훨씬 안전하거든.

왜냐하면 본디 인간은
배은망덕하기 쉽고 변덕이 죽
끓듯 하는 존재이고,

퍽

위선적이고 위험에 처했을 때
자기 살기에 급급한 존재이며,

어푸
어푸

물욕에는 눈이 어두운 존재이기
때문이야.

군주가 백성들에게 복지 정책 등을 베풀면서
잘해 주면, 그들은 군주의 말을 잘 들을 거야.

복지정책
복지
복지
복지

또 나라가 편안하면 군주를 위하여 자신의 생명이나
재산, 심지어 자식들까지 바치려고 할 거야.

하지만 위험한 상황이 되면 그들의 태도가 싹 돌변할 거야.
위험
휘익

군주가 절박한 위험에 처하면 그들은 군주의 명령을 듣지 않을 게 분명해.
위험
Help me!

그들의 맹세만 철석같이 믿고 전혀 다른 준비를 해 놓지 않은 군주는 누구라도 재난을 면하기 어려울 거야.

따라서 군주는 백성들의 겉모습을 보고 그들의 말을 너무 믿으면 안 돼.

숭고한 정신으로 어떤 대가를 치르고 산 우정이란 그 가치를 지녀.

우정

하지만 진정한 유대 관계가 없는 우정이란 아무 소용이 없어.
쩌적
우정

정작 필요한 경우에는 도움이 안 되거든.
우
쾅

인간은 평소에 두려움으로 대하던 사람보다,
덜
덜

좋은 마음으로 대하던 사람에게 피해를 주는 경향이 있어.

뻥

그것은 본래 인간이란 사악한 존재이기 때문이야.
크와앙

하지만 어떤 사람에게서 두려움과 처벌에 대한 공포를 느낀다면 그 사람을 함부로 대하거나 벗어나지 못하지.

의리로 맺어진 좋은 감정도 자신에게 어떤 이익이 생긴다고 하면 언제든지 내팽개칠 수 있어.

이익

의리

군주는 백성들에게 좋은 감정을 얻지 못해도 돼.

대신 미운 감정도 얻지 않는 범위에서 지혜롭게 두려움을 주어야 해.

군주가 두려운 존재이면서

동시에 미움을 받지 않는 존재로 군림하는 일은 충분히 가능한 일이야.

군주가 백성들의 재산과 부녀자들에 손을 대지 않는다면 얼마든지 가능해.
No~!

한편 군주는 피를 볼 일(사람의 목숨을 빼앗는 일)이 있을 때면 반드시 정확한 논리와 대의명분을 보여 주고 집행해야 해.
대의명분

그리고 절대로 백성의 재산을 함부로 몰수하는 일이 있어서는 안 돼.
내놔!
싫어!

사람들이란 아버지의 죽음보다 유산을 빼앗긴 일을 더 오래 기억하기 때문이야.

그만큼 사람들에게는 재물이 소중하다는 말이야.

안돼-!

군주가 군대의 선봉에 서서 많은 병사들을 지휘할 때 잔인하다는 말 따위는 신경 쓸 필요가 없어.

잔인하다는 평판을 듣지 않고는 군대를 결속시켜서 능률적인 전투를 하기 어렵기 때문이야.

알프스 산맥을 넘어 로마를 공격한 카르타고의 한니발은 이런 점을 잘 알고 있었어.

그의 군대는 다양한 민족으로 구성된 대 군단이었지만 로마에서 전쟁을 할 때 늘 그를 존경하고 두려워했어.

그 이유는 한니발이 전세가 유리할 때나 불리할 때를 막론하고

전세

병사들 사이의 내분이나

옥신
각신

자신에 대한 모반 행위를 잔인하게 응징했기 때문이야.

으악

만약에 한니발이 술에 술 탄 듯 물에 물 탄 듯 나약한 심성을 가졌더라면

술이야? 물-!

알프스 산맥을 넘어 로마 제국을 침략하는 일을 결코 해내지 못했을 거야.

그런데 후대의 역사가들은 그의 업적을 찬양하면서도 잔인함을 비난하는 모순된 모습을 보이고 있어 안타까울 뿐이야.

잔인해-!
업적
역사

한니발 장군과 전쟁을 하여 이긴 사람은 로마의 스키피오였어.

스키피오는 기원전 204~기원전 202년에 일어난 제2차 포에니 전쟁 중 한니발의 군대를 아프리카의 자마 전투에서 격파했어. 그때 그는 '아프리카누스'라는 칭호를 얻었지.

그는 30살이라는 젊은 나이에 로마의 집정관이 되었고,

나중에는 로마 원로원의 제1인자가 되었던 인물이지.

하지만 정적의 음모로 인해 원로원에서 물러났는데,

그는 자신을 고발한 조국에 대한 배신감에 '배은망덕한 조국이여 그대는 나의 뼈를 갖지 못할 것이다.'라는 유명한 말을 남겼다고 해.

로마
내 뼈는 내 것!

그런 스키피오는 한니발과 다른 성품을 가졌어.

그는 잔인하지 않았고
병사들에게 관대했거든.

한번은 스키피오의 부관이
로크리스의 주민들을 약탈한 일이
있었어.
퍽
퍽

그런데도 스키피오는 주민들을
위해 어떤 조치도 취하지 않았을
뿐 아니라
흥

그 무례한 부관을 징계하지도
않았어.

이러한 스키피오의 우유부단한 성품 때문에 결국 에스파냐에서
스키피오의 부하들이 반란을 일으켰어.
와 아 아

반란이 일어난 이유는 스키피오가
군인의 복무규율을 넘어서는 지나친
자유를 병사들에게 허용했기 때문이야.
하 하 하
하 하 하 하

때문에 그는 로마 원로원으로부터 로마 군대의 기강을 타락시킨
장본인이라는 탄핵을 받기도 했어.

다행히 그 후로 원로원의 통제를
받으며 근무를 했기 때문에

큰 문제를 일으키지 않았고
훌륭한 군인으로 남을 수
있었어.

이제 백성들로부터 두려움을 받는 것과

사랑을 받는 것 중 어느 편이 더 나은가라는

문제로 돌아가서 결론을 내려 보자.

두려움
사랑

백성들은 자기들의 주관적인 감정에 따라 군주를 사랑해.

하지만 백성들의 사랑은 믿을 것이 못 돼.

흥

현명한 군주라면 자신의 통제를 기반으로 백성을 다스릴 줄 알아야 해.

백성
먹이

그러기 위해 백성들이 두려워하는 존재가 되어야 할 거야.

백성

그런데 주의할 점이 있어. 백성들이 두려워하는 군주가 되는 것은 좋으나

백성들이 미워하는 군주는 되지 않도록 노력해야 한다는 사실이야.

플라톤의 철인 정치

마키아벨리는 군주가 어떤 사람인가에 따라 나라의 성격이 달라진다고 했습니다. 오래 전부터 사람들은 이상적인 나라와 지도자를 꿈꾸었습니다. 고대 그리스의 대표적인 철학자 플라톤도 그 중의 한 사람이었습니다. 플라톤은 철인(哲人), 즉 철학자가 정치를 하는 나라를 가장 이상적인 나라로 꼽았습니다.

플라톤(Platon, 기원전 427 ~ 기원전 347)

고대 그리스의 철학자 플라톤은 아테네의 명문 귀족 집안에서 태어났습니다. 그는 젊은 시절 정치가가 될 꿈을 가졌습니다. 그러나 소크라테스를 만난 후 그의 영향을 받아 철학자의 길을 걸었습니다. 플라톤은 신에게 세 가지를 크게 감사한다고 말했는데, 첫째는 그리스 인으로 태어난 것, 둘째는 자유인이며 남자로 태어난 것, 세 번째는 소크라테스와 동시대에 태어난 것이라고 했습니다. 이를 보면 그가 소크라테스를 얼마나 존경했는지 잘 알 수 있습니다.

플라톤의 원래 이름은 아리스토클레스였는데 유난히 어깨가 넓어서 '많다'는 뜻의 그리스어인 플라톤이라 불렸습니다. 그는 서양 최초의 학교인 아카데미아를 세워 그곳에서 제자들에게 철학을 가르쳤고 철학을 하나의 학문으로 발전시켰습니다.

철학자들은 이데아론을 동굴 속에 있는 그림자에 비유하여 설명한다. 동굴 안쪽 벽으로 그림자가 비치면 인간들은 그 그림자를 사물 자체로 인식하는데 그것은 허상에 불과하다.

이데아론

2500년 전에 살았던 플라톤은 지금까지도 영향을 미칠 만큼 위대한 철학자였습니다. 대표적인 현대 철학자인 화이트 헤드와 같은 이는 모든 서양 철학의 전통을 플라톤에서 나온 것

이라고 말할 정도입니다.

플라톤 철학의 핵심은 '이데아론'입니다. 플라톤은 이 세계를 '이데아'와 '현상의 세계' 두 종류로 구분했습니다. 이데아는 눈에 보이지 않는 사물의 본성이며, 원인이 되는 형이상학적인 개념입니다. 플라톤은 이데아란 오직 인간의 이성으로만 인식할 수 있다고 했습니다. 그 이데아의 모사품이 바로 우리가 눈으로 보고 만지는 현상의 세계입니다. 예를 들어 '밥'을 이데아라고 한다면 우리가 실제로 삶아서 먹는 쌀이나 보리, 그리고 고구마 등은 현상이 되는 것이지요. 플라톤은 최고의 이데아를 '선의 이데아'라고 했습니다.

철인 정치(哲人政治)

플라톤이 쓴 책 중에 《국가》라는 제목의 책이 있습니다. 플라톤은 이 책에 국가와 국가를 이루는 사람들에 대한 자신의 이상적인 꿈과 생각을 담았습니다. 대표적인 주장이 시인(詩人)을 추방하고, 아내를 공유하며, 국가의 최고 지도자는 철학자가 되어야 한다는 것입니다.

플라톤

플라톤이 시인을 추방하자고 한 이유는 시인이 이데아의 모방인 현실을 다시 모방하는 수준 낮은 모방자이며, 시는 진리에서 멀리 떨어진 열등한 것으로 듣는 이의 분별력을 흐리게 한다고 여겼기 때문이었습니다. 또한 지배 계급에서는 아내를 공유해야 한다고 했는데 그렇게 하면 아기의 아빠가 누구인지 모르므로 권력이나 재산을 상속할 필요가 없어진다는 생각을 했기 때문이었습니다.

그리고 플라톤은 철학자, 즉 철인이 통치하는 나라가 가장 좋은 나라라고 주장했습니다. 왜냐하면 개개인이 자신의 능력에 맞는 일을 하고 그에 합당한 배분을 받으며 타고난 능력을 최대한 발휘하는 공동체가 가장 좋은 나라라는 믿음을 가지고 있었기 때문입니다. 또한 그 공동체를 이루는 구성원들의 마음을 가장 잘 이해하는 사람이 다스릴 때 그 공동체는 가장 완벽한 국가로 발전할 것이라는 확신을 가졌습니다.

8장 군주가 가져야 할 성품 2

군주가 신의를 지키며 성실하고 고결하게 산다면
많은 사람들이 칭송할 거야.
신의
성실
고결
군주

그러나 마키아벨리가 볼 때 현실은 달랐어.
휙
현실
군주

마키아벨리가 살았을 당시에는
신의를 중시하지 않고
뻥
신의

교활하게 사람들의 마음을
속이고 이용할 줄 아는 군주가

오히려 더 큰 업적을 남겼거든.
업적

교활한 군주들이 공정하게 행동하려고 했던 군주들을 이기고 말았지.

비겁하게··

역사는 항상 정의로운 자의 편이 아니라는 것을 알 수 있어.

싸움에는 두 가지가 있어. 하나는 법으로 하는 거야. 이것은 인간적인 방법이지.
옥신
각신

다른 하나는 힘으로 하는 거야. 이것은 야만적인 방법이야.
챙
챙

군주는 법으로 싸워서 상대를 굴복시키지 못할 때가 있으므로

만일을 대비하여 힘으로 싸울 태세를 늘 갖추고 있어야 해.
이씨-!

군주는 인간적 방법과 야만적 방법 두 가지를 적절히 구사할 능력이 있어야 한다는 거야.

그리스 신화의 예를 들어 볼까? 그리스 신화를 보면 아킬레스 등을 비롯한 고대의 많은 군주들이 케이론에게 양육되고 교육받았어.

케이론은 반인반수였어.

고대 군주들이 반인반수인 케이론에게 교육을 받았다는 것은 군주는 사람의 방법과 야수의 방법 두 가지를 다 알아야 한다는 것을 의미해.

사람
야수

어느 한쪽의 방법만으로는 계속적으로 효과를 발휘할 수 없다는 것을 잘 알았기 때문이야.

사람
효과
야수

군주는 여우와 사자 두 종류를 모두 본받아야 해.

사자란 놈은 함정으로부터 자신을 보호할 지혜가 없고,

여우는 늑대로부터 자신을 방어할 힘이 없어.

그러므로 군주는 함정에 빠지지 않도록 조심하기 위해서 때로는 여우가 되어야 하고,

늑대를 위압하기 위해서 때로는 사자가 되어야 하는 거야.

깨갱!
어흥

오직 사자의 위용으로만 살아가고자 하는 군주가 있다면 그 군주의 생각은 크게 잘못 된 거야.

현명한 군주는 신의를 지키는 일이 자신의 이익과 배치되거나

이익
신의

약속할 당시와 달리 신의를 지켜야 할 의미가 없어졌을 때는

!
신의
약속

신의를 지킬 수도 없겠지만, 또 지켜서도 안 되는 거야.

파삭
신의

모든 사람이 선(善)하다면 이런 충고는 아무런 의미가 없을 거야.
선
선
선

그러나 인간들 중에는 형편없이 사악한 자들이 많아.

이런 자들은 군주에 대한 신의를 충실하게 이행하지 않는 경우가 무척 많지.

따라서 군주도 이들에 대한 신의를 지킬 의무는 없어.
신의!

게다가 군주는 일반인과는 달리 자신의 배신행위를 정당화하여 설명해 줄 합법적인 변명거리를 많이 가지고 있어.
나는 신의를 지키고 싶은데,
신하들이 자꾸 반대를 해서 어쩔 수가 없네.

근대의 역사를 살펴보면 수많은 조약과 약속들이 신의가 없는 군주들에 의해 파기되거나 무효화된 것을 알 수 있어.
약속
약속
조약

그런데 여우처럼 신의를 배신한 군주들이 오히려 큰 성공을 거둔 경우가 많아.
하 하 하
성공

신의를 배신할 때는 용의주도하게 해서 상대에게 여우의 모습을 들켜서는 안 돼.
삭
?

그러기 위해서 군주는 거짓말을 능수능란하게 잘해야 하고,
능수능란!

교활한 위선자가 되어야 해.
샤 아

인간은 생각이 아주 단순하고 눈앞의 욕심에 따라 움직이기 때문에

욕심
욕심
욕심

남을 속이고자 하는 사람은 속기 쉬운 사람을 얼마든지 찾을 수 있어.

대표적인 군주로 교황 알렉산데르 6세를 들 수 있을 거야.

알렉산데르 6세는 사람을 속이는 일 이외에는 결코 다른 생각을 하거나 다른 것을 한 적이 없는 인물이야.

그는 상당한 설득력을 가지고 사람들에게 자신의 주장을 폈고, 엄숙하게 맹세했지.

약속

하지만 자기가 한 약속을 제대로 지킨 적이 없어.

짝
악

그럼에도 불구하고 알렉산데르 6세는 이런 일을 교묘하게 잘 처리했기 때문에

그의 속임수는 언제나 성공적이었고,

사람들은 그에게 잘 속아 넘어갔지.

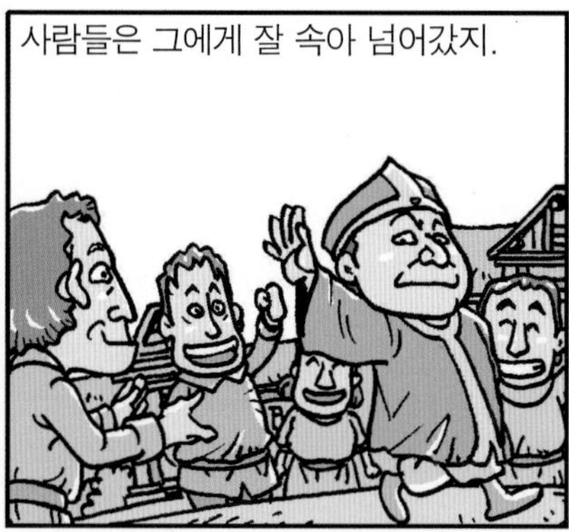

새로 등극한 군주는 특히 선(善)이라고 부르는 인간의 덕성을 실천하기 어려워.

선

국가를 보전하기 위해서 신의, 자비, 인간성과 신앙심에 반대되는 행동을 취할 수밖에 없는 경우가 허다하게 많거든.

신의
인간성
자비
신앙심

군주는 선을 고수할 수만 있다면
선으로부터 벗어나지 말아야 하겠지만

부득이 악을 행하지 않을 수 없는 경우에는 악에도 발을 들여놓을
각오가 되어 있어야만 해.

선
선
악

군주라면 무엇보다 전쟁에서 승리하고 나라를
유지하는 일을 최우선 과제로 삼아야 하기
때문이지.

나라

군주가 이런 일에서 성공적으로 한다면 백성들은 군주가 어떠한
비열한 행동을 한다고 해도 그 행동을 가치 있는 것으로 봐 줄
거야.

왜냐하면 일반인들은 언제나 일의 겉모습과 결과만 보고
감동을 받기 때문이야. 대부분의 일반인들이 이렇지.

따라서 군주의 비열한 행동을 아는 소수의
저항은 큰 의미가 없어.

떡
떡

스페인의 왕 페르디난도가 이런
경우에 속해. 그는 늘 입으로는
평화와 상호 신뢰를 외쳤어.

평화
신뢰

그러나 실제로는 평화를 우습게
여겼고 신의를 지키지 않았지.

평화
휴지통

덕분에 그는 명성과 왕좌를 잘 지킬 수
있었던 거야.

명성
왕좌

마키아벨리는 군주는 사람들로부터 멸시나 증오 받을 일을 가능한 하지 않도록 노력해야 한다고 말해.

멸시
쾅
증오

그러기 위해 군주는 신하의 재산을 강탈하거나 부녀자들을 겁탈해서는 절대로 안 돼.

군주가 사람들의 재산에 손실을 입히지 않고, 부녀자를 겁탈하여 그들의 명예를 훼손하지 않는 한 그들은 아무런 불만 없이 만족스럽게 살아갈 거야.

그리고 야심을 가진 몇 사람만 잘 다루면 군주는 자기 자리를 지키는 데 큰 어려움이 없을 거야.

군주가 멸시와 증오를 받는 경우는 다음과 같아.

변덕이 심하거나

저 사람을 처형하시오.
아니오. 그냥 집으로 보내시오.

경박하거나

아구 아구…!

소심하거나

저기 저 바퀴벌레를 빨리 치워라. 무서워.

우유부단하여 결단력이 없을 때야.

공격을 할까, 말까?

군주는 항해자가 암초를 피하듯이 이런 경우를 피해야만 해.

대신 군주는 사람들이 자신의
행동 속에서 위대함과

진지함,
…!

용기와 강인함을 확인할 수 있도록
늘 노력해야 해.

어느 누구도 감히 군주를 기만하거나 농락하는 일은 생각조차
할 수 없도록 권위를 유지해야 해.

이러한 인상을 주는 군주라면 당연히
사람들로부터 크게 추앙받을 거야.

이러한 평가를 받는 군주를
대상으로 반역의 음모를
꾸미는 것은 매우 어려운
일이야.
끙

모든 사람들이 군주의 인격이 탁월하고
부하들로부터도 존경받고 있다는 것을
알고 있는 한

군주를 정면 공격한다는 것은
정신 나간 일이지.
퍽

군주를 제거하려는 음모를 막기 위해
군주가 취해야 할 최상의 방비책은
방비책

백성들로부터 증오나 멸시를 받지 않고 민중의 지지를 유지해
나가는 일이야.

왜냐하면 군주를 제거하려는
음모를 꾸미는 자들은

군주를 시해하면 자신들이 백성들의
지지를 받게 될 거라는 생각을 해.

그런데 군주를 시해하는 행위가
백성들의 분노를 사게 되는 일이라면

음모를 꾸미는 자들은
군주를 시해하려는 마음을
가질 수가 없어.

자신들에게 닥쳐올 백성들의
원망과 보복이 두렵기 때문이지.
보복

역사 속에서 수 많은 음모가
시도되었지만 성공을 한 예는 매우
적다는 사실이 이를 증명해.
음모의
성공율
아주
적음 :!

반면 군주에게는 자신을
보호해 줄 군주라는 공직의
권위와
군 주

법률,
법률

그리고 그를 지지하는 사람들과 국가라는
든든한 자원이 있어.
나 라

게다가 군주가 백성들로부터
두터운 신망마저 얻고 있는
상황이라면

어느 누구도 무모하게 반란을
일으키지 못해.
?

이런 군주에 대항하여 반란을 일으킨다면
반란자들은 반란을 일으킨 후에 엄청난
공포감을 느낄 거야.
쾅
공 포

모든 백성이 자신들의 적이
될 것이며,

와 아 아

그러한 증오 때문에 반란자들이 숨어야
할 어떤 은신처도 얻을 수 없다는 것을
잘 알기 때문이야.

좋은 예로 안니발레 벤티볼리오
시해 사건을 들 수 있어.

볼로냐의 군주였던 안니발레 벤티볼리오는 1445년
칸네스키 가의 모반에 의해 시해되었어. 당시 그의
혈통으로는 강보에 싸여 있던 지오반니밖에 없었지.

칸네스키
으아앙

군주 시해 사건이 일어난 직후에 백성들은
격분하여 들고 일어나 칸네스키 일가를 몰살해
버렸어.

당시 벤티볼리오 가문에 대한 백성들의 신임이
아주 컸기 때문이야.

벤티볼리오

이러한 사실로 미루어 볼 때 군주는 백성들의 두터운 신임을 얻고
있는 한 반란에 너무 걱정할 필요가 없다는 것을 알 수 있어.

반란

예로부터 기강이 제대로 잡힌
국가의 현명한 군주는 귀족들을
실망시키지 않는 동시에

백성들을 행복하게 해 주는 일에
최선을 다했어.

이 일이야말로 군주의 가장 중요한
임무이기 때문이야.

임무

그럼 지금부터 사람들의 멸시와 증오를 피해서 나라를 잘 다스린 군주의 예를 소개해 줄게.
군주

우선 프랑스야. 마키아벨리가 살던 시대의 프랑스는 나라의 질서가 확립되어 있고,
프랑스

체계가 잘 잡혀 있는 행정 조직을 갖추고 있었어.
행정 조직

그 중에서도 가장 뛰어난 것은 루이 9세 시절에 만든 고등법원이야.
고등 법원
루이 9세

루이 9세는 귀족들의 야심과 오만방자함을 잘 알고 있었어. 그래서 그는 귀족들을 다스리기 위해 강제적인 제동 장치가 필요하다고 생각했어.

루이 9세는 백성들이 귀족들을 두려워하고 증오한다는 사실을 잘 알고 있었지만

자신이 직접 나서서 그 문제에 책임을 지기는 싫었지.

루이 9세는 백성들 편에 섬으로써 귀족들로부터 원망을 받고 싶지도 않았고,

그 반대로 귀족 편에 섬으로써 백성들로부터 편파적이라는 비난을 받고 싶지도 않았어.

그래서 루이 9세는 국왕이 직접적인 책임을 지지 않으면서도 귀족을 제압하고 백성을 지지할 수 있는 제3의 권력 기관으로 고등법원을 세운 거야.
고등 법원

당시에 고등법원은 매우 효율적인 제도였지.
고등 법원

루이 9세가 취한 행동에서 우리는 중요한 교훈을 얻을 수 있어.
교훈

군주란 내키지 않는 일은 다른 사람들에게 위임하고

사람들 마음에 드는 일을 주로 해야 한다는 거야.

군주는 당연히 귀족들을 존중해야 하겠지만

그렇다고 백성들의 원성을 사서도 안 되는 거야.

이렇게 할 때 군주는 사람들로부터 멸시나 증오를 받지 않게 되는 거지.

다음으로 로마 제국의 군주,
즉 황제들의 예를 들어볼게.
로마

로마의 황제들 중에는 모범적인 생애를 보내고 정신적으로 위대한 덕(德)을 지녔음에도 불구하고 제국을 잃거나 반란자들에 의해 목숨을 잃은 사람들이 많아.

로마 백성들은 세상이 평화롭기를 원했어. 때문에 야심이 없는 군주를 바랐어.
뻥
야심

반면 군인들은 호전적 기질을 갖춘 탐욕스럽고 잔인한 군주를 원했지.

게다가 군인들은 이러한 군주의 성품이 백성들에게 발휘되는 것을 보고 싶어 했어.
퍽

잔인한 폭정으로 백성들의 재산을 빼앗아서 자신들의 급료를 두 배로 올려 주고

자신들의 탐욕과 잔인성을 만족시켜 주기를 원했기 때문이야.

때문에 천부적이거나 정치적 경험으로 백성과 군인들을 잘 다스리지 못한 황제들은

늘 몰락의 길을 걸어야 했어.
몰락

그래서 스스로의 힘으로 제위에 등극한 군주들은
끙
끙
군주

백성과 군인 양대 세력을 조화롭게 다스리는 것이 불가능하다는 사실을 깨닫고,

백성들에게 해를 끼치더라도 군인들의 마음에 드는 쪽으로 행동했어.

군주가 안정적으로 권력을 행사하려면 자기 주변에서 가장 강력한 집단의 증오를 피해야 해.
증오

그래서 새로 즉위하여 특별한 지지를 필요로 하는 황제들은 백성보다는

오히려 군인들에게 더욱 의지하게 되었던 거야.
와락

이러한 정책이 로마의 황제들에게 유리하게 작용할지, 불리하게 작용할지는
유리
불리

황제들이 군 통수권을 잘 유지하느냐 못 하느냐에 달려 있어.
군 통수권

이러한 이유로 마르쿠스 아우렐리우스 황제,

페르티낙스 황제,

알렉산드로스 황제 등은

하나같이 겸허하게 살면서
정의를 사랑하고
정직

잔혹성을 미워하는 자비로운
사람들이었음에도 불구하고
자비
잔혹

마르쿠스 아우렐리우스 황제 한 사람을
제외하고는 모두 비참한 최후를
맞이해야 했어.

마르쿠스 아우렐리우스 황제가 명예롭게
살다가 일생을 마친 것은
명예

그가 황제의 제위를 상속에 의해 물려받았으므로 군인이나
백성들에게 신세를 지지 않았기 때문에 가능한 일이었어.
신세
신세
신세
신세

그는 모든 사람들로부터
존경을 받을 만한 좋은 성품을
지녔고,

전 생애를 통해 백성과 군인 양대 세력을
잘 다스렸기 때문에

증오나 멸시를 받지 않았지.
멸시
증오

페르티낙스 황제는 통치
초기에 군인들에게 시해
당했는데,

방탕한 생활에 익숙한 군인들에게
성실하게 살기를 요구하여 증오를
샀고,

황제 자신의 나이가 많아
군인들로부터 멸시를 받았기
때문이야.

알렉산드로스 황제는 매우 선량한
인물로서 칭송을 많이 받았어.

14년의 재위 기간 중 재판 없이 그의 명령으로 사형에 처해진
사람이 단 한 명도 없을 정도였어.
?

그러나 알렉산드로스 황제는 성품이
나약하여 어머니의 말에 따라 정치를
했어.

때문에 군인들은 그를 멸시했고, 급기야 군부의 반역 음모에
의해 시해당하고 말았지.

페르티낙스 황제와 알렉산드로스 황제의 예를 보면 군주는
선(善)을 행함으로써 증오를 살 수 있다는 사실을 알 수 있어.
선
증오

권력을 지키려면 군주는 때로는 선하지 않은
일도 해야 하는 거야.

군주는 자신의 지지 기반인 백성이나 군인, 귀족이 부패한
경우 비위를 맞추기 위해 그들의 풍조를 따를 필요도 있어.

그런데 군주가 선행만 고집하면
지지 기반으로부터 해를 당하게 되는 거지.
지지
기반

그럼 이번에는 앞에서 말한 선량한 황제들과 대조적인 황제들에 대해서 살펴보자. 여기에 해당하는 황제들로는 콤모두스, 세베루스, 카라칼라, 막시미누스 등을 들 수 있어.

이들은 매우 잔인하고 탐욕스러운 황제들이었어.

이들은 자기를 지지하는 군인들의 욕구를 충족시켜 주기 위해 백성들의 이익에 위배되는 온갖 불법 행위들을 눈감아 주었어.

하지만 이들 중 세베루스 황제만 제외하고는 모두 비참한 최후를 맞았어. 왜 그랬을까?

마키아벨리는 세베루스 황제를 자세히 연구하여 해답을 알고자 했어.

연구 과제

마키아벨리는 세베루스 황제를 여우와 사자의 성품을 모두 가지고 잘 발휘한 군주로 평가했어. 그리고는 세베루스를 성공적인 군주의 본보기로 삼아야 한다고 했지.

그럼 지금부터 세베루스 황제를 집중 탐구해 보자.

율리아누스* 황제의 우유부단한 성격을 잘 알고 있던 세베루스는

마음대로 해..?

친위대에 의해 시해된 페르티낙스 황제의 죽음을 복수하기 위해서는

* 디디우스 율리아누스(Didius Julianus): 로마 제국의 열아홉 번째 황제. 전임 황제인 페르티낙스가 살해된 뒤 근위대의 추대를 받아 황제가 되었다.

군대를 이끌고 로마로 진군하는 것이 현명한 방법이라는 것을 알고 당시에 슬라보니아에 주둔하고 있던 자기 휘하의 군대에게 로마로 가기를 호소했어.

로마
슬라보니아

물론 자신은 황제 자리에 야심이 있다는 것을 꼭꼭 숨겼지.

황제

세베루스는 그곳 사람들에게 거사 소식이 알려지기 전에 군대를 이끌고 로마에 도착했어.

그가 로마에 입성하자마자 원로원은 공포에 떨면서 그를 황제로 선출하고 율리아누스의 처형을 명했지.

원로원
처형

그 후 세베루스는 로마 제국을 자신의 손아귀에 넣기 위해 두 가지 문제점을 해결해야 했어.

문
제
문제

하나는 아시아 지역의 관구 사령관 페스케니우스 니그리우스였어. 그는 그곳에서 스스로 자신이 황제임을 선언했어.

나는 황제다!

아시아

다른 하나는 로마 제국의 서쪽 지역을 관할하는 알비누스였어. 그 역시 황제 자리에 욕심을 갖고 있었지.

나도 황제가….
서쪽

세베루스는 이들 두 적대 세력과 동시에 전쟁을 치르는 것은 무모하다고 판단하고,

니그리우스를 먼저 공격하면서 알비누스에게는 기만책을 쓰기로 결심했어.

기만책

?

아시아

세베루스는 알비누스에게 편지를 썼어.

비록 원로원에서 나를 황제로
선출하기는 했어도 나는 황제의
위엄과 권위를 함께 누리고 싶어
그대에게 카이사르의 칭호를 보낸다.

알비누스는 이것을 액면 그대로 받아들였지.

!

세베루스는 계획대로 니그리우스 군을 쳐부수고 그를 죽인 후 아시아를 평정했어.

아시아

세베루스는 로마로 돌아온 후 원로원에서 다음과 같이 말했어.

알비누스는 자신에게 베푼 모든 은전을
저버리고 오히려 나를 배반하고
살해하려 기도했다. 따라서 그의
배은망덕을 탄핵하지 않을 수 없다.

원로원

세베루스는 명분을 쌓은 후에 프랑스에 있는 그를 찾아 그의 권위를 박탈하고 죽였어. 자신의 앞을 방해하는 적들은 모두 제압한 거야.

프랑스

세베루스의 행동을 보면 그가 사나운 사자이며 동시에 영리한 여우였음을 알게 될 거야.

그는 모든 사람들로부터 두려움과 존경을 받았고 그의 군대는 그를 멸시하지 않았어.

세베루스는 신출내기 황제임에도 불구하고 성공적으로 로마 제국을 통치했어.

그의 찬란한 명성이 백성들의 원성을 언제나 막아 주었기 때문이야.

원성…
원성…
원성..
명성
원성..
원성..

다음으로 콤모두스 황제에 대해 알아보자.

콤모두스는 마르쿠스 아우렐리우스 황제의 아들로서 상속에 의해 황제 자리에 올랐어.

그러기에 그가 부왕의 선례를 잘 따랐다면 백성과 군인을 모두 만족시켰을 거야.

그러나 콤모두스 황제는 잔인하고 지독한 사람이었어. 자신의 탐욕을 채우기 위해 백성들을 함부로 대했지.

짝

마찬가지로 자신의 군대가 탐욕을 위해 백성들을 함부로 대하는 것을 그대로 방치했어.

그래서 그의 군대는 안하무인격의 방자한 군대가 되었지.

또한 황제로서의 위엄에 대해 조금도 개의치 않고 검투사와 싸우기 위해 몇 번이고 검투장에 내려갔어.

그 외에도 황제의 품위에 어울리지 않는 아주 저속한 행동을 자주 하여 자신의 군대로부터 멸시의 눈총을 받게 되었고, 결국에는 반역 음모로 목숨을 잃었어.

마지막으로 막시미누스 황제에 대해 알아보자.

그는 전쟁 경험이 풍부한 사람이었어. 그래서 군대의 지지를 많이 받았지.

와 아 아

알렉산드로스 황제의 우유부단한 행동에 염증을 느낀 군대가 황제를 살해한 뒤 막시미누스를 새 황제로 옹립했어.

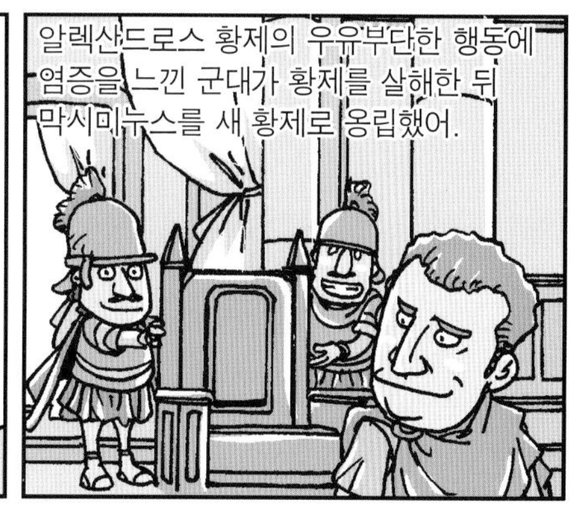

그러나 막시미누스 역시 황제 자리에 오래 있지 못했어. 두 가지 일로 멸시와 증오를 받았기 때문이야.

퍼
퍽
멸시
증오

하나는 그가 비천한 출신이라는 점이었어. 예전에 그가 트라키아의 목동이었다는 사실이 알려지자 사람들이 그를 대하는 태도가 달라졌어.

?

다른 하나는 그가 황제에 추대되었음에도 불구하고 로마에 빨리 들어오지 않았다는 점이야.

로마

그러는 동안 각 지역의 장관들이 참혹한 행위를 많이 저질렀어.

이 때문에 사람들은 그가 몹시 잔인한 인물이라는 인상을 받았어.

이 두 가지 결점 때문에 막시미누스에 반대하는 세력들이 반란을 일으켰어. 먼저 아프리카에서 반란이 시작됐지.

와
와아
아프리카

다음에는 원로원과 로마의 전 백성이 반기를 들었으며

원로원

이탈리아 곳곳에서 반란이 일어났고,

이탈리아

나중에는 그의 군대마저 반역 음모에 가담하게 되었어.

군인들은 막시미누스 황제에 대한 적대 세력이 아주 많다는 것을 알게 되자 그에 대한 두려움을 잃었고 결국 그를 살해했지.

앞에서 예로 든 여러 로마 황제들의 경우를 볼 때 로마 황제들의 파멸 원인이 증오와 멸시에 있었음을 알 수 있어.

증오
멸시

입신출세하여 군주가 된 페르티낙스와 알렉산드로스 황제들이 마르쿠스 아우렐리우스를 모방하여 통치한 것은 잘못된 선택이었어.

마르크스 아우렐리우스는 상속권에 의해 황제가 된 사람이므로 자신들과 경우가 다르기 때문이야.

황제
상속권

또한 카라칼라, 콤모두스, 막시미누스 등의 황제들이 세베루스 황제식의 통치를 하는 것도 어려움이 많아.

왜냐하면 이들은 세베루스 황제가 가진 역량을 가지고 있지 않았기 때문이야.

역량

그러므로 세베루스 황제처럼 통치를 했더라도 역시 파멸했을 거야.

그러면 어떻게 해야 할까? 마키아벨리는,

'새로 군주가 된 사람이라면 국가 건설에 필요한 행위는 세베루스 황제처럼 하고,'

국가건설

'안정된 제국을 유지하려는 군주라면 마르쿠스 아우렐리우스 황제를 모방하라.'고 충고했어.

안정된
제국

로마 제국의 황제들

로마 제국에는 기원전 27년부터 1453년 비잔티움 제국이 멸망할 때까지 수많은 황제들이 있었습니다. 로마 황제들은 로마 군대에 대한 통수권을 가지고 원로원의 견제를 받으며 제국을 통치했습니다. 로마 제국을 번영시킨 황제에는 누가 있는지 알아봅시다.

아우구스투스 황제(Augustus, 기원전 63 ~ 기원후 14)

아우구스투스는 로마 원로원과의 합의로 탄생한 첫 번째 황제입니다. 본명은 가이우스 옥타비우스 투리누스(Gaius Octavius Thurinus)입니다. 기원전 44년에 율리우스 카이사르가 암살당하자 유언장에 따라 카이사르의 양자로서 그의 후계자가 되었습니다. 기원전 43년에 아우구스투스는 안토니우스, 레피두스와 함께 삼두 정치를 하다가 두 사람을 제거하고 권력을 독점했습니다.

아우구스투스의 통치는 로마의 평화 시대라 불릴 정도로 태평성대를 이루었습니다. 아우구스투스는 로마 제국의 영토를 넓혔으며 제국의 국경과 동맹국을 보호하였고 조세 체계를 개선하여 로마 제국의 토대를 닦았습니다.

아우구스투스 황제

마르쿠스 네르바 황제(Marcus Cocceius Nerva, 30 ~ 98)

재위 시기는 96년~98년으로 매우 짧습니다. 로마의 5현제 시대를 연 황제로 96년에 황제 도미티아누스가 암살당한 후 원로원의 추대로 황제에 즉위했습니다. 고령의 나이로 황제가 되어 오래 통치를 못 하고 세상을 떠났습니다. 기독교에 대해서 관용적인 입장을 보였습니다.

트라야누스 황제(Marcus Ulpius Trajanus, 53 ~ 117)

재위 기간은 98년~117년입니다. 에스파냐 출신으로 여러 관직을 역임했습니다. 군인으로 명망이 높아 군대로부터 압도적인 지지를 받았습니다. 네르바 황제의 양자가 되어 제위를 계승했습니다. 트라야누스 황제는 원로원과 잘 협조했으며 빈민 자녀를 위한 복지 정책을 시행하기도 했습니다. 아시리아 등을 속주국으로 만들면서 로마 제국 영토를 크게 넓혔습니다. 원정 후 로마로 귀환하다가 병을 얻어

세상을 떠났습니다.

하드리아누스 황제(Publius Aelius Hadrianus, 76 ~ 138)

재위 기간은 117년~138년입니다. 트라야누스 황제의 조카로 제위를 이어받았습니다. 통치 기간 중 절반을 속주(屬州) 국가를 시찰하는 데 보내면서 속주국을 안정화시켰습니다. 게르마니아의 방벽을 쌓는 등 제국의 방위에 많은 노력을 기울였고 아테네와 로마에 각종 신전을 건축하는 데 애정을 쏟았습니다. 로마 제국의 각종 제도를 손보았고, 학문 연구를 촉진시켜 로마의 문화 발전에 크게 기여했습니다.

하드리아누스 황제가 로마 포룸에 서서 136년에 사망한 아내 사비나를 찬양하고 있다.

안토니누스 피우스 황제(Antoninus Pius, 86 ~ 161)

재위 기간은 138년~161년입니다. 아시아 주(州) 총독을 지냈으며 황제 하드리아누스의 양자가 되어 제위를 이어받았습니다. 피우스 황제는 성품이 인자하고 관대하여 그리스도교 박해를 금지시키고 속주의 번영을 위하여 노력하였으며 대규모의 자녀 부양 시설로 여자 고아원을 설립하는 등 평화로운 통치를 했습니다.

그는 통치 기간 대부분을 로마에서 지내면서 관리의 지위를 안정시키고 재정을 건전하게 만들어 로마 제국의 태평성대에 크게 기여했습니다. 그가 세상을 떠난 후 마르쿠스 아우렐리우스가 제위를 이어받았습니다.

마르쿠스 아우렐리우스(Marcus Aurelius Antoninus, 121 ~ 180)

재위 기간은 161년~180년으로 로마 제국의 16대 황제입니다. 후기 스토아 학파의 철학자로도 유명하며 대표적인 저서로는 《명상록》이 있습니다. 그의 통치 기간은 페스트가 유행하여 정치, 경제적으로 매우 어려웠습니다. 또한 그는 재임 기간 동안 게르만 족과의 전쟁에 지속적으로 시달리다가 전쟁 중에 병을 얻어 세상을 떠났습니다. 그가 죽은 후 로마 제국은 쇠퇴의 길을 걸었습니다.

마르쿠스 아우렐리우스

9장
명성과 좋은 신하를 얻는 방법
신하
신하
신하
신하
명성

군주가 큰 명성을 얻으려면 백성들을 위해 국가적인 대사업을 추진하고 백성들에게 훌륭한 모범을 보여야 해.

모범
대업

마키아벨리는 이에 해당하는 대표적인 군주로 에스파냐의 국왕 페르난도 2세(Fernando Ⅱ)를 들었어.

페르난도 2세

페르난도 2세는 즉위 당시에는 약소국(카스티야 왕국*)의 군주였어.

흔들
흔들
카스티야

그러나 그는 나중에 에스파냐의 여러 왕국을 통일하여 에스파냐를 단일 국가로 만들고 큰 명성과 영광을 얻었으며,

와아
와
짝짝
에스파냐

* 카스티야 왕국 : 중세 유럽 시대에 이베리아 반도 중앙에 있었던 왕국으로 훗날 아라곤 왕국과 통합하여 통일 에스파냐 왕국(스페인)의 중심이 되었다.

아내인 이사벨 1세와 더불어 가톨릭 부부왕으로 불릴 정도로 기독교 국가 중에서는 제일 잘나가는 군주가 되었지.
교국가
국가
기독교 국가
기독교

그러므로 페르난도 2세를 명성을 얻은 가장 모범적인 군주로 생각할 수 있어.
1
2
3

페르난도 2세가 큰 명성과 영광을 얻기까지 했던 행동들을 살펴보면 그의 행동이 위대했을 뿐 아니라 매우 특별했음을 알 수 있어.

그는 왕이 되고 얼마 되지 않아 그라나다를 공격했는데 그 일은 그의 통치권을 단단하게 다지는 계기가 되었어.
와
아
아
그라나다

페르난도 2세는 그라나다와 전쟁을 하는 동안 누구의 방해도 받지 않았어.

그는 카스티야의 영주들을 모두 전쟁터에 내보냈어. 반란을 일으킬 기회를 주지 않기 위해서였지.
뻥
카스티야
영주
와아
와
전쟁터

페르난도 2세는 영주들이 전쟁에 골몰하고 있는 동안 국내에서 자신의 명성을 쌓아 나갔어.

명성

카스티야

으악

악

전쟁터

교회와 백성들에게서 모은 돈으로 강력한 군대를 만들었어.

그 군대로 오랜 기간 전쟁을 수행하여 나중에 자신에게 큰 명성을 안겨 줄 군부를 구축했지.

명성
군부

또한 그는 종교적인 명분을 내세워 무어 인들을 약탈하고 추방했어. 신앙이라는 미명 아래 잔인무도한 일도 많이 했지.

신앙

동일한 명분을 내걸고 아프리카를 공격했으며

신앙
아프리카

이탈리아를 침공했고,

신앙
이탈리아

마침내 프랑스까지 습격했어.

프랑스

그는 계속 전쟁을 일으키고 큰 사업을 추진하여 백성들을 정신없게 했어.

전쟁
사업

자신에게 반대하는 일치된 행동을 취할 시간적 여유를 결코 허용하지 않았던 거야.

?
?
?
사업
전쟁

그리고 백성들을 자신이 얻은 성과에 계속 매혹되도록 만들었어.

성과

또한 국내 문제에서는 밀라노의 베르나보 공작처럼 특별한 능력을 보여 줘 큰 명성을 얻었어.

국내 문제

베르나보 공작은 국가에 특별히 영향을 미치는 일을 했을 때는 언제나 상벌을 주고 그 일이 화젯거리가 되도록 했는데 페르난도 2세도 그렇게 했던 거야.

상금

* 무어 인(Moors) – 이베리아 반도와 북아프리카에 살았던 이슬람계 사람들이다. 아랍계나 베르베르 족의 후손들이다.

한편 마키아벨리는 군주는 자신이 위대한 인물이고 탁월한 통찰력을 지녔다는 인상을 사람들에게 심어 주는 일에 집중적인 관심을 가져야 한다고 했어.

위대하고
통찰력으로..!
통찰력
위대함
위대

어떻게 하면 백성들이 군주가 위대한 인물이고 탁월한 통찰력을 지닌 인물이라고 인식하게 될까?

마키아벨리는 우선 군주가 상대방이 진정한 동지인가 적인가를 분명히 구분할 때 탁월한 통찰력을 지닌 인물로 존경받을 수 있다고 했어.

!

다시 말해 한편에 대해서는 지지하고 다른 한편에 대해서는 반대하는 입장을 주저하지 말고 천명하라는 거야.

척

이런 입장을 취하는 것이 중립적 입장을 취하는 것보다는 항상 유리하기 때문이야.

중립

주변 국가 중에서 강력한 힘을 가진 두 나라가 전쟁을 한다고 했을 때,

챙
챙

군주는 자신의 소신을 분명히 밝히고 전쟁을 하는 편이 훨씬 유리해.

휙

만약에 군주가 어느 쪽도 편들지 않고 중립을 지킨다면,

중립!

그 군주는 전쟁에서 진 쪽에게는 만족과 기쁨을 주는 것이지만,

전쟁에 이긴 쪽에게는 미움을 사고 결국에는 희생양이 되고 말아.

이 경우 군주는 자신을 보호할 방법도 없고, 명분도 없어.

휘청

아무도 군주를 받아들이려고 하지 않게 될 거야.

승자는 자신이 역경에 처했을 때 도와주지 않은 못미더운 동지를 결코 원하지 않기 때문이야.

패자도 그 군주를 받아들이려고 하지 않아. 군주가 기꺼이 운명을 걸고 자기네와 함께 무기를 들지 않았기 때문에 전쟁에서 패했다고 생각하기 때문이야.

NO~!

마키아벨리는 아카이아* 인의 예를 들었어.

아카이아

* 아카이아(Achaea) : 펠로폰네소스 반도 북쪽 코린트 만 남쪽에 있는 도시

로마 군을 축출해 달라는 아이톨리아 인의 요청을 받고 안티오쿠스가 그리스로 들어왔을 때,

안티오쿠스는 아카이아 인이 중립을 취하도록 설득하기 위해 사절단을 보냈어.

아카이아

한편 로마 군은 아카이아 인에게 자기편이 되어 군을 일으키도록 설득하고 있었어.

결국 이 문제는 아카이아 평의회의 의제로 논의되었지.

여기서 안티오쿠스의 사절은 아카이아의 중립을 촉구했어.

중립

그러자 로마의 사절단은 아카이아 인에게 다음과 같이 말했어.
이 사람들이 당신들에게 전쟁에 휘말려 들지 말라고 말하지만 그 이상 당신들의 진정한 이익에 배치되는 것도 없습니다.
그럼에도 불구하고 만약 당신들이 중립을 고수한다면 전쟁의 결과에 상관없이 당신들은 응분의 보상은 기대하지도 못한 채 승자들에게 희생될 뿐입니다.

이처럼 군주의 편이 아닌 사람은 군주에게 중립을 요청하는 것이 일반적이야.
중립
와아-와!

반면에 군주와 같은 편이거나 친한 사람은 군주에게 한패가 되어 무기를 들어 달라고 요청하는 것이 일반적이야.

이때 우유부단한 군주는 당장 발등에 떨어진 불부터 끄고 보자는 식으로 당면한 위험을 피하려고 중립을 택하기 쉬워.
중립

하지만 중립을 선택하는 순간 군주는 파멸에 이르게 될 거야.
쿵
파멸
중립

그러나 군주가 소신껏 어느 한쪽을 편든다면 파멸을 면할 수 있어.
파멸

전쟁에서 승리한 쪽은 군주와 군주의 나라를 처분할 정도로 강력해졌다고 하더라도

군주가 도와준 덕에 승리했다고 생각하여 군주의 우방으로 남게 될 거야.

인간은 자기에게 도움을 준 사람을 곧바로 공격할 정도로 악랄한 존재는 아니야.

또한 승자가 정의를 무시하고, 자기 마음대로 행동해도 될 만큼 승리가 모든 것을 감싸 주지는 않아.

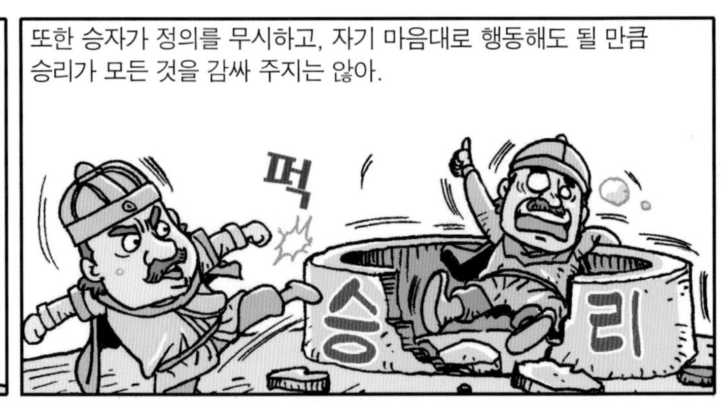
퍽
승리

만약에 군주가 지지한 쪽이 전쟁에서 패하더라도

군주는 여전히 지지한 나라에게 소중한 존재이며, 그들은 할 수만 있으면 군주를 도우려고 할 거야.

군주의 운이 다시 오름세로 변할 때 그 나라는 믿음직한 맹방이 될 거야.

휘익

이번에는 전쟁을 하는 두 나라가 군주의 나라보다 힘이 약해 크게 위협이 되지 않는 경우야.

챙
챙

이때 군주는 어느 편을 들 것인가 더욱 현명하게 처신해야 해.

이 경우에도 어느 한쪽의 편을 드는 것이 유리해.

군주가 어느 한쪽을 도와줌으로써 다른 한쪽을 멸망시킬 수 있기 때문이야.

으아아아

누가 이기든 간에 승자는 군주의 처분대로 할 거야.

꿇어!
척

여기서 마키아벨리는 중요한 충고를 해. 군주가 절대 필요한 경우를 제외하고는 제3자를 공격하기 위해 자기보다 더 강력한 세력과 제휴해서는 절대로 안 된다고 했어.

NO!
?

강력한 국가와 동맹을 맺으면 승리를 하더라도 군주는 결국 그 나라의 포로가 되기 때문이야.

동맹국

베네치아 인들이 밀라노 공작에 대항하기 위하여 프랑스 왕인 루이 12세와 동맹을 맺은 적이 있었어.

공작
베네치아

1499년 루이 12세는 베네치아 인들의 바람대로 루도비코를 밀라노에서 축출했지.

휙

하지만 이 때문에 베네치아는 몰락하고 말았어.

와르르

이를 보더라도 군주는 가능한 다른 사람의 지배 아래에 들어가는 것을 피해야 해.

물론 동맹이 불가피한 때가 있긴 해.

동맹

예를 들어 1512년 율리오 2세와 페르난도 2세가 프랑스를 축출하기 위해 동맹을 맺은 것을 들 수 있지.

뻥

군주는 언제나 안전한 길을 선택할 수 있다고 생각하면 절대 안 돼.

Safe

모든 길에는 항상 위험이 따르는 법이거든.

Safe
위험
꽥!

게다가 군주는 하나의 위험을 피하게 되면 필연적으로 또 다른 위험에 부딪치게 돼.

위험

그러므로 신중한 군주는 여러 가지 위험의 본질을 깨달아야 하고,

최소한의 악을 선으로 받아들이는 지혜를 가져야 해.

살금
살금

군주는 수완이 좋은 사람을 칭찬하고,

특정 분야에서 재주가 탁월한 사람을 예우하여

자신이 능력을 최우선으로 여기는 사람이라는 것을 여러 사람들에게 보여 주어야 해.

또한 군주는 시민들이 상업, 농업 그리고 다른 분야에서 안심하고 생업에 전념할 수 있도록 격려해 주어야해.

특히 자기 토지를 개량하는 사람이 그것을 군주에게 빼앗길까봐 두려워하게 만들어서는 안 돼.

토지

또한 사업을 확장하는 사람이 세금이 너무 많아 파산할 수 있다는 두려움을 갖지 않도록 해 주어야 해.

짝
짝
세금
사업

군주는 열심히 일해 도시와 국가를 풍족하게 해 주는 사람들에게 상을 주어서 격려해야 해.

상장

군주는 또한 일 년 중 적절한 시기에 축제와 구경거리를 베풀어 백성들을 위로해야 해.

하 하 하
하 하 하

또한 도시에 있는 동업자 조합(길드)과 족벌들에게 큰 관심을 기울이고

!
길드

때때로 이들의 모임에 참석하여 자신의 인간성과 대범함을 보여 주어야 해.

그러나 어떤 경우에도 군주의 위엄에 손상이 가는 일을 해서는 안 돼.

위엄

군주의 위엄은 어떠한 희생을 치르고라도 보존되어야 하는 것이기 때문이야.

군주에게 있어서 좋은 신하를 발탁하는 일은
매우 중요한 일이야.
신하 오디션

왜냐하면 유능한 신하를 선택하는 일은 군주의
판단 여하에 달려 있기 때문이지.

군주의 지적 능력을 알아보려면 그 주변 사람들을
살펴보면 돼.

군주의 측근들이 유능하고 충성스러운 사람들이라면
아마 그 군주는 지혜로운 사람이 분명할 거야.

군주가 측근들의 능력을 정확하게 파악하고,
그들의 충성을 이끌 만큼 똑똑하기 때문이야.
군주

그러나 군주의 신하들이 무능하고 충성스럽지 못하다면
군주 역시 별볼일 없는 무능력한 사람일 거야. 군주가
무능력하여 신하들을 잘 뽑지 못했기 때문이거든.

베나프로의 안토니오라는
법률가는 시에나의 군주인
판돌포 페트루치에게 택함을
받아 오랜 세월 재상으로
일했어.

안토니오는 당시 신하들 중에서 가장
훌륭한 인격과 능력을 가진 재상이었어.

이런 훌륭한 재상을 둔 판돌포 역시
훌륭한 군주라고 할 수 있지.

사람의 두뇌에는 세 가지 유형이 있어. 첫 번째는 스스로 이해하는 유형이고,

!
문제

두 번째는 다른 사람이 가르쳐 준 것을 이해하는 유형이며,

!
!
문제

세 번째는 스스로도 이해하지 못하고 다른 사람의 설명도 이해하지 못하는 유형이야.

!
?
문제

첫 번째는 최고로 탁월한 것이고, 두 번째는 매우 좋은 것이며 세 번째는 아무짝에도 쓸모없는 것이지.

1 번째
최고로 탁월

2 번째
매우좋음

3 번째
쓸모없음

판돌포가 첫 번째 유형에 속하는 사람이 아니라고 해도 두 번째 유형에는 반드시 들어간다고 말할 수 있을 거야.

2 번째
매우 좋음

왜냐하면 비록 판돌포는 스스로 훌륭한 일을 하지는 못해도

끙!
훌륭

훌륭한 언행과 나쁜 언행을 식별할 만큼의 지혜를 가지고 재상의 훌륭한 생각과 그릇된 생각을 충분히 납득한 후에 훌륭한 생각은 격려하고 그릇된 생각의 오류를 지적할 수 있는 능력을 가졌기 때문이야.

No!
Yes!

신하는 이런 군주를 속일 생각을 꿈에도 꾸지 않고 열심히 잘 섬기려고 할 거야.

군주가 신하를 정확하게 알아보는 좋은 방법이 한 가지 있어.

만약 신하가 군주보다 자신에 대해서 더 많은 생각을 하고

신하가 하는 일이 모두 신하 자신의 이익을 도모하는 것이라면 그는 결코 훌륭한 신하가 아니야.

낄낄

군주라면 도저히 그런 사람을 믿고 일을 맡길 수 없을 거야.

뻥

왕국을 관장하는 소임을 맡은 신하는 자기 자신을 생각할 것이 아니라 군주를 생각해야만 해. 심지어 군주의 일 이외에 다른 것은 알고 있어서도 안 돼.

시끌
시끌

마찬가지로 신하로부터 계속 충성스러운 복종을 받고자 하는 군주는 신하의 복지에 지대한 관심을 가져야 해.

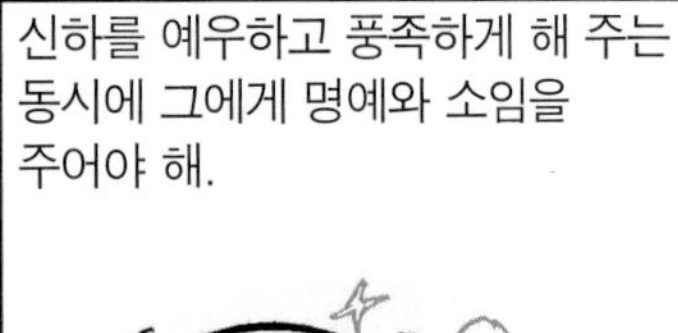

신하를 예우하고 풍족하게 해 주는 동시에 그에게 명예와 소임을 주어야 해.

명예
소임

큰 명예는 신하가 더 많은 명예를 위해 다른 곳을 넘보지 못하도록 할 것이고,

명예
명예

상당한 부는 신하가 더 많은 부를 생각하지 못하도록 할 것이며,

그에게 맡겨진 큰 직책으로 말미암아 신하는 변화를 두려워하게 될 거야.

직책

군주와 신하가 서로에게 이런 조건들을 잘 맞추어 준다면 그들은 서로를 완전히 신뢰할 수 있게 될 거야.

만약에 상황이 그렇지 않으면 둘 중 어느 한쪽은 해를 입을 수 있어.

만약 군주 자신이 신중하지 않거나,
헤...

조언자를 현명하게 선택하지 않을 경우에
모두... 신하해!

조정은 언제나 아첨꾼들로 가득 찰 거야.

사람은 누구나 자신의 일에 만족하고, 또 자신을 속이는 경향이 있기 때문에 남에게 쉽게 속아 넘어가.

그래서 아첨이라는 역병을 피하기가 참 어려워.
아첨

아첨을 막기 위해서는 멸시를 받는 더 큰 위험도 감수해야 해.
허우적
멸시

군주가 아첨으로부터 자신을 보호하기 위해서는 솔직한 이야기에 대해 노하지 않는다는 것을 여러 사람들에게 알려야 하는데, 그러려면 사람들이 군주에게 무슨 말을 하든 참고 들어야 해.

하지만 누구나 군주에게 진실을 고할 수 있게 될 경우 군주는 크게 존경받지 못하고 자칫 무시를 받을 수도 있어.

그러므로 신중한 군주는 현명한 사람들을 자신의 신하로 기용하여 그들에게만 진실을 자유롭게 말할 수 있는 면허를 주어야 해.
면허

그것도 오직 군주가 질문하는 것에 대해서만 자유롭게 대답할 권한을 주어야 해. 다른 문제에 대해서까지 동일한 권한을 주어서는 안 돼.
질문한 것만 대답해!

군주는 그들에게 모든 사항을 물어보고
A…z?

조언자들의 말을 끝까지 경청하여
A…z!

이를 토대로 스스로 심사숙고한 뒤에 자기 방식에 따라 결정을 내려야 해.
땅
땅
결정-!

군주는 조언자들이 기탄없이 말하면 할수록 자신은 더욱 그것을 좋아한다는 뜻을 분명히 보여 주어야 해.
와락

반면에 조언자들 외에는 어떤 사람의 이야기에도 귀를 기울여서는 안 돼.

군주는 자신이 결정한 것에 대해 확고한 의지를 가지고 추진해 나가야 해.
결정

이와 다르게 처신한다면 그 군주는 아첨꾼들의 집요한 요구에 농락당하게 되거나

신하들의 분분한 의견 사이에서 갈팡질팡하게 될 거야.

그리고 그 결과 군주는 존경을 받지 못하게 될 것이 분명해.
뻥

마키아벨리는 이와 관련하여 최근의 예를 하나 들었어.
최근

신성 로마 제국의 황제였던 막시밀리안 1세(1459~1519)의 신하들 중에 루카 라이몬디 신부가 있었는데, 그는 막시밀리안 1세의 신하로서 일을 했지.

루카는 자신이 모신 황제에 대해 이렇게 말했어.

그는 결코 누구와도
상의하지 않았으며 또 결코
어떤 것도 자기가 원하는
방식으로 처리하지 못했다.

루카가 황제를 이렇게 평가한 것은 황제가 앞에서 말한 것과는 반대로 일을 처리했기 때문이야.

막시밀리안 황제는 비밀을 중시하는 사람이어서

비밀

자기의 계획을 어느 누구에게도 알리지 않았고,

?
계획

어떤 충고도 받아들이려고 하지 않았어.

충고!
충고!
충고~!
NO!

황제의 계획이 시행 단계로 들어가면서 일의 전모가 드러나게 되고,

계획

황제의 계획은 신하들의 반대에 부딪쳤어.

NO
덥석

상황이 이렇게 되면 우유부단한 황제는 신하들의 반대를 견디지 못하고 자신의 계획을 포기하고 말아.

짝
짝

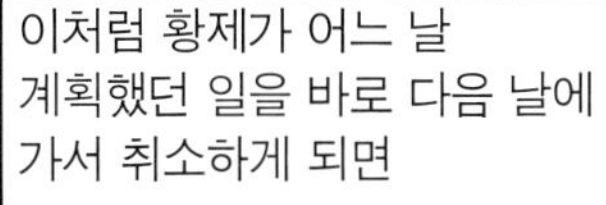

이처럼 황제가 어느 날 계획했던 일을 바로 다음 날에 가서 취소하게 되면

휙

그가 정말 무엇을 원하고 있는지, 또는 그가 하려는 계획이 무엇인지를 아무도 이해할 수가 없게 돼.

?
?
?

심지어 그가 결정을 내렸을 때조차도 그의 결정을 믿게 할 방법이 전혀 없어.

계획

군주는 언제나 다른 사람의 조언을 들어야 하겠지만
조언!
조언!
조언!
조언!
조언!
조언!

다른 사람이 조언하고자 할 때가 아니라 바로 군주 자신이 충고를 원할 때에 조언을 들어야 해.
충고가 필요해-!
!

군주는 어느 누구도 자기에게 주제넘은 충고를 하지 못하도록 만들어야 해.
충…

군주는 열린 마음으로 자주 문제를 제기하고,
문제
문제
문제

자신이 알아보려고 한 문제에 대해 진상을 철저히 규명하고 들으려는 참을성을 가져야 해.
진상

많은 사람들은 군주가 신중하고 지혜로운 것은 군주 자신이 그렇기 때문이 아니라 주변에 훌륭한 조언자들이 있기 때문이라고 생각하는데,

이것은 전적으로 잘못된 생각이야.
갈…!

영리하지 못한 군주는 훌륭한 조언을 잘 받아들이지 않을 것이기 때문이야.
?
조언

예외가 있다면 우연히 군주가 과단성 있고 매우 빈틈없이 유능한 신하를 만나 그에게 모든 일을 일임하는 경우일 거야.
일

이런 경우에 전후 사정을 전혀 모르는 군주는 그런대로 통치는 할지 모르지만

나 라

실무를 떠맡은 군주의 조언자가 즉시 최고 권력을 접수하고 나라를 빼앗을 것이기 때문에 계속 자리를 지켜 나갈 수가 없어.

만약 군주가 다른 생각을 가진 여러 명의 조언자들과 의논한다면

지혜롭지 못할 경우 다양한 의견들을 조정하지 못할 것이며 정책을 수립하지도 못할 것이고

끙

신하들은 제각각 자신의 이익을 도모할 거야.

이익
이익
이익

그러면 군주는 그들이 왜 그런지 상황 파악을 못 하거나, 그들을 규합하는 방법을 잘 알지 못할 거야.

?

신하들이 이렇게 하는 것은 당연해. 인간은 선을 행하도록 강요당하지 않는 한 항상 악을 행하는 존재이기 때문이야.

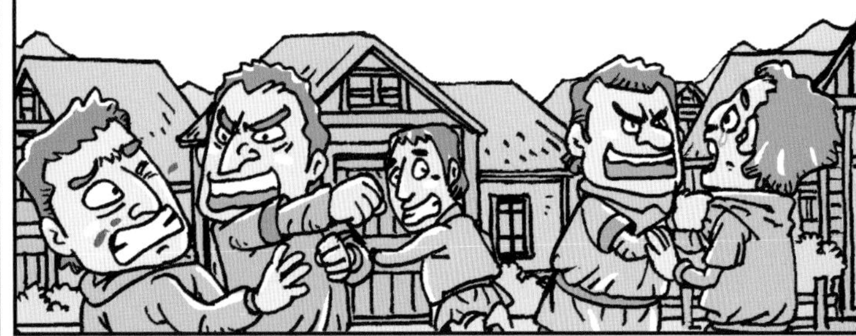

그러므로 마키아벨리는 군주의 지혜가 그에게 추천된 훌륭한 정책으로부터 나오는 것이 아니라,

정
지혜
책

그 반대로 훌륭한 정책이 군주의 지혜로부터 나온다고 결론을 내렸어.

지
정책
혜

페르난도 2세(Fernando II, 1452 ~ 1516)

마키아벨리는 큰 명성을 얻은 군주의 예로 에스파냐의 국왕 페르난도 2세를 들었습니다. 페르난도 2세는 부인 이사벨 1세와 함께 '가톨릭 부부 왕'으로 불리면서 에스파냐를 강력한 통일 국가로 발전시킬 토대를 만들었습니다.

페르난도 2세는 다음과 같이 여러 나라의 군주로 재임했습니다. 그래서 여러 이름으로 불립니다.

나라	아라곤과 발렌시아 왕	나폴리 왕	시칠리아 왕	카스티야와 레온의 왕
재임 기간	1479 ~ 1516	1504 ~ 1516	1479 ~ 1516	1474 ~ 1516
명칭	바르셀로나 공작	페르디난도 3세	페르디난도 2세	페르난도 5세

페르난도 2세는 1452년 아라곤의 왕 후안 2세와 후아나 엔리케스 사이에서 태어났습니다. 후안 2세는 아들 페르난도 2세의 교육에 크게 관심을 가져 아들이 수준 있는 인문학적 지식을 습득하도록 했고 더불어 다양한 체험을 하며 세상을 널리 알도록 했습니다. 이러한 교육의 효과 덕분인지 페르난도 2세는 나중에 예술가들의 큰 후원자 노릇을 했습니다.

1469년에 페르난도 2세는 카스티야 국왕의 딸 이사벨 공주와 정략결혼을 했지만 페르난도 2세는 이사벨을 진심으로 사랑했습니다. 1474년 카스티야의 왕 엔리케 4세가 왕위 계승자를 지명하지 않은 채 세상을 떠났습니다. 그러자 그의 딸이었던 이사벨은 스스로 카스티야의 여왕임을 선언했고 이후에 벌어진 왕위 계승전에서 승리한 후 남편인 페르난도 2세를 카스티야의 국왕으로 만들어 공동 통치의 기반을 닦았습니다.

한편 페르난도 2세는 아버지 후안 2세가 세상을 떠난 후 아라곤의 왕위를 물려받았습니다. 이로써 페르난도 2세와 이사벨 여왕은 에스파냐의 기초가 될 두 왕국의 연합을 이루었습니다.

군주의 성품

페르난도 2세와 이사벨 여왕은 1478년에 가톨릭의 정착을 위해 에스파냐에 종교재판소를 설치했고, 1492년에는 유대인들을 추방했습니다. 이러한 일로 교황은 이 둘에게 '가톨릭 부부 왕(los Reyes Catolicos)'이라는 칭호를 주었습니다. 페르난도 2세는 지속적으로 그라나다 왕국을 공격하여 1492년에 항복을 받아냈습니다. 이후 페르난도 2세와 이사벨 여왕은 콜럼버스가 대서양을 횡단하여 신대륙을 발견하도록 지원하기도 했습니다.

페르난도 2세와 이사벨 여왕

1504년에 페르난도 2세는 역사상 가장 뛰어난 왕비로 칭송받던 이사벨 여왕을 잃은 후 큰 실의에 빠졌지만 이듬해 카스티야에서의 지위를 강화시키기 위해 프랑스 왕 루이 12세의 조카와 정략결혼을 했습니다. 1506년과 1507년에는 이탈리아에 머물면서 이탈리아와의 전쟁을 했습니다.

1513년 페르난도 2세는 건강이 나쁜 가운데에도 손자(나중에 신성 로마 제국의 카를 5세가 됨)의 왕위 계승을 착실하게 준비했습니다. 1516년에 그라나다로 여행하던 중 세상을 떠났습니다. 그는 유언장에 자신을 아내 이사벨 여왕과 영원히 함께 할 수 있도록 그녀 곁에 묻어 달라고 했습니다. 그리고 자신은 에스파냐 왕국을 가장 강력한 국가로 만들었으며, 이 모든 일은 자신이 하느님의 뜻을 충실히 따랐기 때문이라고 했습니다. 그의 왕위는 카를로스 1세(1519년부터 카를 5세)에게 이어졌고 카를로스 1세 때 에스파냐의 진정한 통일이 완성되었습니다.

10장 이탈리아를 위하여

이탈리아

마키아벨리는 지금까지 말한 교훈들을 잘 지킨다면 새로 군주가 된 사람은 오랫동안 군주 노릇을 한 사람처럼 보이게 될 거라고 말했어.

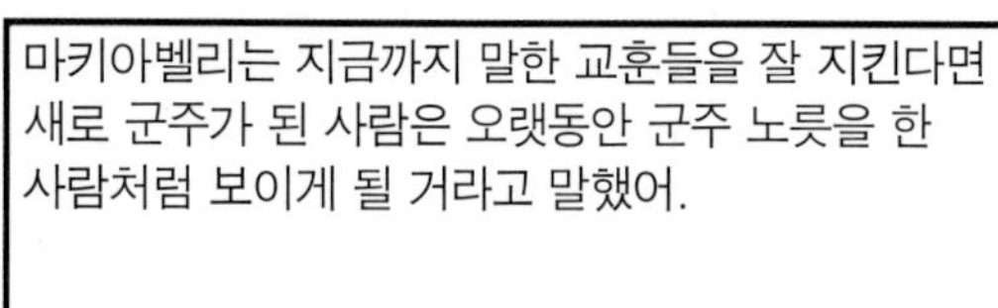

교훈.

새로 군주가 된 사람은 세상 사람들의 따가운 시선을 오래된 군주보다 더 많이 받으므로

그의 행동이 역량이 있는 것으로 인정될 경우에

역량

사람들은 더 쉽게 감동을 받고, 오래된 군주보다 더 큰 매력을 느낄 거야.

사람이란 아득한 과거사보다는 현재 일어나는 일에 더 큰 관심을 갖기 때문이야.

과거
현재

사람들은 현재의 상황이 잘 돌아가고 있다는
것을 알면
현재.

현재에 만족하고 그 밖의 다른 것에 대해서는
생각하지 않는 경향이 있어.

그들은 새로운 군주가 일을 잘해서 자신들을 실망시키지
않는다면 새로운 군주를 지키기 위해 발 벗고 나설 거야.
떡
떡

그러면 새로운 군주는 두 가지의 영광을
누리게 될 거야.
영광

첫 번째는 그가 새로운 군주국을 만들었다는
영광이고,
나라

두 번째는 훌륭한 법률과 강력한 군대로 나라를
잘 지킨 영광이야.
나
법률
군대

만약에 어떤 군주가 군주의
집안에 태어나 군주 자리를
물려받았으나,

자신이 무능하여 나라를 잃게
된다면
나라

그는 이중으로 치욕을 당하게 될 거야.

마키아벨리는 나폴리 왕이나 밀라노의 공작처럼 나라를 잃은 이탈리아의 군주들을 잘 살펴보면 두 가지 공통적인 잘못이 있다고 했어.

나폴리
밀라노
이탈리아

첫 번째는 군대를 잘 유지하지 못한 잘못이야.

군대

예를 들어 밀라노의 공작 루도비코 스포르차는 게으르고 방탕한 군주로 결코 군인의 덕목이나 지도자의 품성을 갖추지 못했어.

하 하 하

만약에 밀라노 공작이 아버지의 반만이라도 되는 군주였다면 결코 프랑스에 밀라노를 그토록 쉽게 빼앗기지 않았을 거야. 또한 프랑스의 오랜 지배를 받지도 않았을 것이고.

프랑스
낑 낑

두 번째 잘못은 군주가 귀족들로부터 자신을 보호하지 못했다는 거야.

어떤 군주든 앞에서 말한 두 가지 잘못을 저지르지 않았다면 나라를 잃지 않아.

잘못
잘못

좋은 예로 마케도니아의 필립포스 5세(기원전 221~기원전 179)를 들 수 있을 거야.

이 필립포스 5세는 알렉산드로스 대왕의 아버지가 아니라 로마의 티투스 퀸티우스에게 패했던 필립포스야.

필립포스 5세는 퀸티우스가 다스리는 로마 제국에 대항하여 두 번의 전쟁을 치렀어.

와 아 아
와 아 아

필립포스 5세는 자신을 공격했던 로마에
비하면 상대적으로 약한 나라의 군주였어.
로마
마케도니아

그럼에도 불구하고 그는 로마 제국과 수 년 동안 전쟁을
치르면서 대항했어.
와 아 아
로마
마케도니아

그 이유는 필립포스 5세가
참된 군인으로 끝까지 백성들의
믿음을 이끌어 낼 수 있었고,

귀족들의 충성도 계속해서
받아 낼 수 있었기 때문이야.

결국 두 개의 도시를 잃기는 했지만 그래도
자기의 왕국을 끝까지 수호할 수 있었지.
마 케 도

오랜 세월 동안 권력을 장악하고 나라를 다스렸으면서도
결국에는 그것을 잃은 이탈리아 군주들은
마케도니아
이탈리

모든 결과를 운명의 탓으로 돌려서는 안 되며
자신의 나태함을 탓해야 할 거야.
나태
운명

이탈리아의 군주들은 평화스러운 시기에도
상황이 나빠질 수 있다는 생각을 전혀 하지
못했어.
크 르 르
이탈리아

그러다가 어려움이 닥치자 도망갈 생각만 했어. 폭풍우가
갑자기 몰아칠 때 그들이 제일 먼저 생각하는 것은 폭풍우에
대비하여 자신을 지키는 것이 아니라 도망치는 일이었다는
말이야.
우 다 닥

도망을 친 후에 그들은 백성들이 정복자들의 오만방자함에 넌더리가 나서 다시 자신을 불러 주기를 손꼽아 기다렸어.

달리 어떻게 할 방법이 없다면 이런 방법이 의미가 있을 수도 있어.

미안!

그러나 이런 생각 때문에 다른 방법을 전혀 찾지 않는다는 것은 정말로 어리석은 일이야.

마키아벨리는 여기에 해당하는 대표적인 군주로 밀라노의 공작 루도비코 스포르차를 들었어. 그는 프랑스의 첫 번째 침공 때 도망갔어.

프랑스
밀라노

처음에는 백성들이 프랑스에 대항하여 봉기했을 때 백성들의 부름을 받고 다시 밀라노로 돌아올 수 있었지.

그러나 스포르차가 두 번째로 도망을 갔을 때는 백성들로부터 귀국하라는 요청이 없었어.

오지마 !
No~!
밀라노

결국 그는 프랑스의 감옥에서 생을 마쳐야 했지.

군주는 누군가가 우연히 쓰러져 있는 자신을 발견하고 일으켜 줄 것을 기대해서는 안 돼.

누군가가 군주를 일으켜 세워 주든 그렇지 않든 그것은 군주의 안전에 결코 도움이 되지 않는 일이야. 그건 매우 비겁한 방어책이기 때문이야.

믿을 수 있는 가장 좋은 방어책은 군주 자신의 역량으로 자신을 지켜 나가는 것 뿐이야.

사람들은 세상의 일이 운명의 신에 의해 지배되고 있으므로 인간의 지혜로 그것을 거역하는 것은 이로운 일이 아니라고 생각해 왔어.

대부분의 사람들은 그냥 운명에 순응하며 살아야 한다고 믿고 있지.

운명

운명의 여신은 때로는 자연과,

때로는 운명과,

운명

때로는 복수의 여신과 동일시되거나

다른 신들과 결합되어 사람을 지배했어.

그 결과 사람들은 무슨 일에든 굳이 땀을 흘리며 애쓸 것이 아니라 그저 운명에 맡겨야만 한다고 생각하게 되었지.

운명

이러한 생각은 지금도 여전히 큰 호응을 받고 있어.

운명

아마도 인간의 능력과 상상력을 벗어나는 큰 사건들이 많이 일어나기 때문일 거야.

콰르릉

마키아벨리 자신도 운명의 여신에 대해 일반인들과
같은 생각을 할 때가 많다고 고백했어.

!

운명

그럼에도 불구하고 마키아벨리는 우리 인간의
자유 의지를 포기해서는 안 된다고 주장했어.
자유 의지

마키아벨리는 운명의 여신이 우리 생활의 반을
지배하는 것은 사실이지만
생

나머지 반은 우리 인간의 지배 아래에 있다고 말했어.
활

마키아벨리는 운명의 여신을 나무를 뿌리째 뽑고, 건물을 붕괴시키고, 땅을 침식시키고, 흙을 자기가
원하는 곳에 퇴적시키는 급류에 비유했어.
쏴아아

사람들은 누구나 급류의 가공할 위력 앞에 도저히 버틸 수
없어 달아나거나 굴복하고 말아.
으아아
으아아

이것이 인간이 존재하는 방식이야.

그렇다고 해서 인간이 급류에 대해 전혀 대책을 세울 수 없는 것은 아니야.
으 아 아

날씨가 쾌청할 때 제방이나 둑을 쌓아 방비할 수 있어.

그러면 물이 불어나더라도 그 물을 해를 끼치지 않는 곳에 가두어 둘 수 있지.

운명의 여신도 마찬가지야. 운명의 여신은 대적할 역량이 없는 곳에서 자기 마음대로 힘을 발휘하여 횡포를 부리는 거야.

운명의 여신은 자신을 제어할 제방이나 둑이 없는 곳으로 가서 세상만물을 박살내지.
콰 아 아

슬프게도 마키아벨리의 조국인 이탈리아가 그런 곳이었어.
이탈리아

이탈리아는 제방이나 도랑이 전혀 없는 무방비 상태의 나라였거든.
쿠 아 아

만약에 이탈리아가 독일이나 에스파냐, 그리고 프랑스처럼 준비가 잘 된 용기 있는 군대에 의해 보호되었더라면
독일
프랑스
에스파냐

급류가 일으킨 홍수로 인해 지금처럼 파괴되지 않았을 것이고, 또한 홍수 자체도 발생하지 않았을 거야.

실제로 군주의 자질이나 성품에 큰 변화가 없음에도 불구하고 지금은 번영을 누리다가

다음 날에 갑자기 파멸하는 것을 흔히 볼 수 있어.

파멸

이런 일이 일어나는 이유는 군주가 운명의 여신에게 모든 것을 의지하기 때문이야.

하지만 자신의 행위를 시대의 흐름에 맞추어 나가는 군주는 번영하게 될 거야.

시대
번영

물론 자신의 행위를 시대에 잘 조화시키지 못하는 군주는 불행한 결과를 얻게 되겠지만 말이야.

시대

인간의 삶을 자세히 들여다보면 인간은 영광과 부(富)라는 공통의 목표를 달성하기 위해 서로 다른 인생행로를 걸어가고 있음을 알 수 있어.

부
영광

어떤 사람은 매우 조심성 있게,

툭 툭

어떤 사람은 과감하게,

어떤 사람은 폭력적인 방법을 이용해서,

퍽

어떤 사람은 비밀스럽게,

살금
살금

어떤 사람은 참을성 있게,
흠

어떤 사람은 급한 마음으로
목표를 향해 걸어가지.
허둥
지둥

이처럼 사람들은 서로 다른 방법으로
인생의 목표를 성취해.
목표
목표

조심성 있게 목표를 향해 걸어간 사람 중에서 어떤
사람은 목표를 이루고, 어떤 사람은 목표를 이루지
못할 수 있어.
목표

반대로 두 사람 모두 목표를 이루는 경우도 있지.
목표
목표

그 이유는 시대적 상황 때문이야. 그 상황이 목표를 추구하는 방법과 일치하느냐,
일치하지 않느냐에 따라 결과가 다르게 나타나는 거야.
목표
목표
목표
시대
시대
시대

만약 어떤 군주가 참을성을 가지고 신중하게 처신하고,
끄응!
!

시대적 상황이 그러한 자질과 잘 맞을 때에 그 군주는
번영을 누릴 거야.
번영
시대

그러나 어떤 군주가 시대적 상황의 변화를 무시하고 자기의 성품이나 행동 방식을 바꾸지 않는다면 그 군주는 파멸에 이를 거야.

파멸
시대

군주가 성품과 행동을 근본적으로 변화시키는 것은 매우 어려운 일이야.

흥
성격
개조

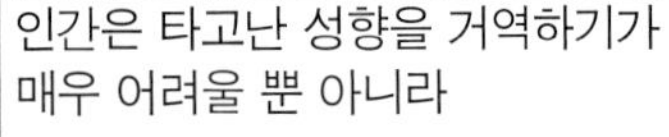
인간은 타고난 성향을 거역하기가 매우 어려울 뿐 아니라

자신의 성품과 행동대로 살아왔을 때 언제나 성공해 온 경험이 있는 경우에는 그것을 포기하기란 거의 불가능하기 때문이야.

성품
성공

교황 율리오 2세는 매사를 과감하게 처리했어.

매사

율리오 2세는 시대와 상황이 이러한 행동 양식에 유리하다는 것을 잘 알았고, 그렇게 실천하여 언제나 좋은 결과를 얻었어.

상황
결과
시대
시대

마키아벨리는 율리오 2세가 볼로냐와 벌였던 전쟁을 예로 들었어.

볼로냐

교황 율리오 2세는 볼로냐를 침공하기를 원했으나 베네치아와 에스파냐는 동조하지 않았어.

베네치아
에스파냐
볼로냐

조반니 벤티볼리오가 다스리고 있던 볼로냐는 전쟁을 치르기에 만만한 상대가 아니었거든.

볼로냐

그럼에도 불구하고 교황은 그가 평소에 지니고 있던 확신과 열정을 갖고 친히 전쟁을 진두지휘했어.

와 아 아

볼로냐

이를 본 베네치아는 두려움에 떨며 보기만 했고,
덜덜
베네치아

에스파냐는 나폴리 왕국을 침공하고 싶었기 때문에 볼로냐 침공에는 관심을 가지지 않고 지켜보기만 했어.
나폴리
에스파냐

교황은 베네치아와 에스파냐 대신에 프랑스를 전쟁에 끌어들였어.
전쟁터
프랑스

프랑스는 베네치아를 굴복시키기 위해서는 교황과 동맹을 맺을 필요가 있었으므로 교황의 제안을 받아들였어.

프랑스 왕은 교황의 마음을 상하게 하지 않으려고 자신의 군대를 보냈어.
프랑스
와 아 아

1506년 9월 13일에 교황 율리오 2세는 페루기아를 점령했고,
퍽
페루
기아

같은 해 11월 11일에는 볼로냐를 점령했어.

그 결과 율리오 2세는 그동안 다른 교황들이 결코 이룰 수 없던 업적을 성공적으로 달성했어.
업적

만약에 율리오 2세가 다른 교황들처럼 모든 외교적 절차가 완결될 때까지 로마를 떠나지 않고 기다렸다면 그는 결코 볼로냐를 점령하지 못했을 거야.

외교
볼로냐
로마

그렇게 했더라면 프랑스 국왕과 다른 나라의 군주들은 온갖 구실을 대며 교황에게 신중하게 기다리도록 설득했을 거야.

기다려!
No
프랑스
로마
기다려!

율리오 2세는 다른 일도 비슷한 방법으로 처리해서 좋은 결과를 얻었어.

이얍
결과

물론 생애가 짧았던 탓에 그는 실패를 경험할 겨를이 없었지.

실패

하지만 그가 신중히 행동해야 할 상황에 닥쳤더라면 그는 몰락하고 말았을 거야.

신중

이렇게 볼 때 운명은 수시로 변하지만 사람은 여전히 자신의 처리 방식을 고집한다는 거야.

통과!
NO!
운명

운명과 인간의 처리 방식이 서로 어울릴 때는 성공하겠지만

운명
처리
처리
처리
성공
성공
성공

서로 맞지 않을 때는 실패하게 되는 거야.

운명
처리
처리
실패

결론적으로 마키아벨리는 신중한 것보다는 과감한 편이 낫다고 했어.

과감

왜냐하면 운명의 신은 여신이기 때문이며 그녀를 억누르고 야수적으로 다루는 사람에게 순종적이기 때문이야. 따라서 운명을 지배하려면 운명을 거칠게 대해야 한다는 거야.

뻥
운명

마키아벨리는 지금 자신의 조국인 이탈리아에 새로운 군주가 등장할 분위기가 되어 있는지 고민하고 있어.

이탈리아

그는 이탈리아에 신중하고 능력 있는 군주가 등장해서 군주 자신에게는 명예를 가져다 주고,

이익
명예

백성들에게는 이익을 가져다 줄 조짐이 지금 조성되어 있는지 스스로 물어보았어.

이익

답은 이탈리아에 새로운 군주가 등장하기에 지금보다 더 좋은 시기가 없다는 거야.

GO-!
이탈리아

마키아벨리는 모세가 능력을 발휘하기 위해서 이스라엘 백성들이 이집트에서 고된 노예 생활을 한 것처럼,

키루스의 위대한 정신을 알기 위해서 페르시아 인이 메디아 인의 억압을 받은 것처럼,

테세우스의 뛰어난 능력을 알기 위해서 아테네 인들이 뿔뿔이 흩어졌던 것처럼,

이탈리아 사람들을 지금의 상태로 묶어 둘 필요가 있다고 생각했어.

이탈리아

그래서 이탈리아 인이 히브리 인 이상으로 노예화되어야 하며,

페르시아 인 이상으로 비참하게 되어야 하고,

아테네 인 이상으로 더 흩어져야 한다고 했지.

그 결과 오늘날 이탈리아는
지도자도 없고

이탈리아

무질서하며

매질을 당하고 짓밟히는 등 온갖
종류의 재앙에 시달리고 있어.

퍽
퍽

최근에 이탈리아를 구제하기 위해 신의 명령을 받은
것으로 생각되는 한 사람이(체사레 보르자를 의미함)
나타나 희망의 빛을 보여 주긴 했지만

불행하게도 그는 자기 생애의 최고 절정기에서 뛰어난
인간이 신에 의해 버림받는 모습을 보여 주었을 뿐이야.

으
아
악

지금 이탈리아는 거의 죽을
지경에 있어.

쩌 적
이탈리아

이탈리아는 롬바르디아의
황폐화를 막고,

휘
잉

나폴리와 토스카나의 약탈을
종식시키고,

오랫동안 이탈리아에서 곪아 온 여러
상처들을 씻어 줄 지도자가 나타나기를
고대하고 있어.

지
도
자

야만인의 잔인무도함으로부터 이탈리아를 해방시켜 줄
누군가를 보내 달라고 이탈리아가 신에게 얼마나 간청하고
있는가를 봐.

이탈리아

또 누군가가 깃발을 들고 일어서기만 한다면 그 뒤를 기꺼이 따르려는 이탈리아 사람들의 각오와 열정이 얼마나 대단한가를 봐.

오늘날 이탈리아의 상황은 운과 역량을 겸비하고 있으며

역량
운
이탈리아

교회의 수장인 교황까지 배출할 만큼 신과 교회의 지지도 확고하며

이탈리아

이 행렬에 앞장설 수 있는 화려한 가문의 군주*도 있어.

* 여기서 마키아벨리가 말하는 군주는 자신이 쓴 《군주론》을 헌정한 로렌초 데 메디치이다.

만약 그 군주가 이탈리아를 구할 새로운 군주가 되어서 이 책에서 말한 지도자들의 생애와 행적에 관심을 가진다면 이탈리아를 구하는 과업은 어려운 일이 아닐 거야.

책에서 예로 든 지도자들은 매우 뛰어난 인물이긴 했지만 결국 인간에 불과했어.

그들은 지금의 군주보다 더 어두운 상황에 있었어.

그들이 내세운 대의명분은 오늘날 새로운 군주가 내세우는 명분보다 더 정당하지도 않고 수월하지도 않았어.

대의명분

또한 새로운 군주보다 더 신의 은총을 받은 것도 아니었어.

전쟁은 꼭 해야 할 경우에만 정당성이 부여되고,
정당성

무기를 드는 것 외에 다른 희망이 없을 때에야 비로소 무기를 드는 것이 경건한 일이 되는 거야.

지금 이탈리아의 모든 사람들이 열의를 가지고 있고 또 이런 열의가 존재하는 상황에서,

이 책에 언급된 지도자들의 방법을 본보기로 삼아 실천한다면 새로운 군주는 과업을 수행하는 데 큰 어려움이 없을 거야.
과업

이제부터는 새로운 군주가 책임지고 행동할 일만 남았어.
책임

신은 자신이 모든 것을 처리하고자 하지 않아.

신은 우리의 자유 의지와 우리의 몫으로 남아 있는 영광을 빼앗기를 원치 않아.
영광

지금까지 책에서 말한 이탈리아의 지도자들 중 누구도 새로운 군주의 가문이 이루어야 할 일을 하지 못했어.
할 일

이건 놀랄 일이 아니야. 그동안 이탈리아에서는 워낙 많은 혁명과 군사 행동이 일어났고 이로 인해 군사적 능력이 모두 소진되었기 때문이야.

이탈리아의 낡은 전쟁 방법이 시대에 적합하지 않았고 새로운 전쟁 방법을 개발해 낼 수 있는 사람이 없었기 때문이야.
이탈리아

새로운 군주는 새로운 법과 제도를 만들어야 해.
법
제도

그것이 새로 권좌에 오른 사람에게 가장 큰 명예가 될 거야.

그 법과 제도가 기반을 다지고 그 속에 위대함을 잉태하게 된다면
제도
위대함
법

백성들은 그로 인해 군주를 두려워하고 칭송하게 될 거야.

이탈리아에는 새로운 법과 제도를 만드는 데 필요한 인재와 자원이 많아.

그런데 그들은 손과 발의 역할을 잘할 수 있으나 머리가 되지는 못한다는 것이 문제야.
?
?

이탈리아 사람들은 결투나 작은 싸움에서는 힘이나 민첩성, 그리고 재치도 매우 우수해.
팍

그런데 그들을 많은 수의 군대로 만들면 다른 나라의 군대와 싸움이 안 될 정도로 약해지지.
으 아 아

모두가 그저 자기가 가장 잘났다고 생각할 뿐이야.

또 사람들은 자기가 하고 있는 것이 무엇인가를 아는 사람을 따르려 하지 않고

이런 일은 모두 지도자의 자질이 부족하기 때문에 일어나는 일이야.
지도자

그 결과 지난 20년 동안 수많은 전쟁에서 이탈리아 사람으로 구성된 군대는 언제나 형편없이 지고 말았던 거야.

그러므로 새로운 군주는 나라를 구한 쟁쟁한 인물들의 행적을 밟기 위해서
인물

자신의 나라 사람들로 구성된 군대를 만들어야 해.
척
자국 군인 모집!

왜냐하면 자국의 군대는 모든 작전 수행의 초석이 되기 때문이야.
작전

또한 새로운 군주는 자국 군대보다 더 충실하고 믿음직한 병사들이나 노련한 병사들을 거느리기 어려워.
타국 군대
자국군대

병사들 각자가 개인적으로 훌륭하다고 하더라도 자신들을 부양할 군주의 아래에서 결속될 때 그들은 군대로서 더욱 강력해질 거야.

만약 새로운 군주가 이탈리아 인의 용맹으로 외국 병사들에 대적하여 군주 자신을 방어하려면 이러한 자국 군대를 편성하는 것이 절대적으로 필요해.
쿠르릉
이탈리아군
외국군

사람들은 스위스와 에스파냐의 보병이 두려울 정도로 강하다고 하지만 그들 역시 모두 약점이 있어.

약점

에스파냐 스위스

그러므로 새로운 군주가 새로운 방식으로 군대를 잘 조직한다면 그들을 압도할 수 있을 거야.
에스파냐
스위스

에스파냐 보병이 프랑스 기병대에는 잘 대적하지 못하고,
와 아 아

스위스 보병이 에스파냐 보병에 의해 궤멸되었다는 사실을 보면 알 수 있어.

라벤나 전투를 잘 살펴보면 약점을 눈치챌 수 있을 거야.
와아-
으악
악
라벤나

라벤나 전투에서 에스파냐 보병은 스위스 보병과 같은 방법으로 조직된 독일의 대부대와 만나 전투를 한 적이 있었어.
에스파냐
독일
라벤나

기민한 동작의 에스파냐 군은 큰 못이 박혀 있는 방패를 거머쥐고, 독일 군의 긴 창 밑으로 파고들어 종횡무진으로 독일 군을 해치웠어.

이때 독일 기병대가 에스파냐 군을 습격하지만 않았더라면 독일 군을 모조리 없애 버렸을 거야.
와 아 아

이탈리아의 새로운 군주가 에스파냐와 스위스 보병의 약점을 잘 파악한다면

보병에 두려워하지 않고, 기병대에 용감하게 맞설 새로운 유형의 군대를 만들 수 있을 거야.
군대

이는 새로운 군대를 양성하고 군대의 편제를 바꿈으로써 실현될 수 있어.

이런 일을 하면 새로운 군주에게는 위대한 인물이라는 명성이 부여될 거야.
위대한 인물

이탈리아가 그토록 오랫동안 고대해 온 구세주 출현의 기회를 놓쳐서는 안 돼.
끙
끙
기회

수없이 몰려온 외국의 침략자들로부터 고통을 받아 왔던 이탈리아 사람들이 새로운 군주를 맞이하게 될 기쁨을 뭐라고 표현하기 어려워.
와 아 아

이탈리아 사람들의 복수에 대한 갈망, 굳센 충성심, 헌신과 눈물이 얼마나 간절한지 말하기 어려워.

상황이 이러한데, 어떤 성문이 감히 새로운 군주가 들어올 때 막을 것이며, 어떤 백성이 그분에 대한 복종을 거부하겠는가?
와 아 아

또한 어떤 질투심이 새로운 군주에게 대항하고, 어떤 이탈리아 인이 신하의 도리를 거부할 생각을 하겠는가?

야만인의 지배가 이탈리아 인 모두에게 미움을 사고 있어.
이탈리아

그러므로 쟁쟁한 새로운 군주의 가문에서 정의로운 일에 안성맞춤인 희망과 용기를 가지고 이 과업을 맡아 착수해 주기를 기대해.

과업

끙

끙

그렇게 된다면 이탈리아는 새로운 군주의 깃발 아래 다시 당당해질 수 있을 거야.
이탈리아

그 날에 다음과 같은 페트라르카*의 시는 현실로 이루어질 거야.
역량이 야만의 광포함과
대담하게 싸울 것이니
싸움은 순식간에 끝나리라
진솔한 이탈리아 인의
가슴 깊은 곳에
옛날의 영웅적 긍지가
지금도 살아 숨 쉬고 있기에

* 프란체스코 페트라르카: 이탈리아의 시인이며 인문학자. 이탈리아 어로 된 서정시 〈칸초니에레〉를 지었다.

마키아벨리의 저작물들

마키아벨리

마키아벨리는 14년 동안 공직 생활을 하면서 많은 시간을 외국에서 보냈습니다. 그는 외국에서 경험했던 다양한 일들을 잘 정리했습니다. 예를 들어 1503년 체사레 보르지아가 자기에 대해 반란을 모의한 귀족들을 속여서 초대한 후 모조리 살해한 사건을 가까이에서 보고 들으면서 세밀하게 기록했는데, 끔찍한 살해 방법까지 냉정하게 쓸 정도였습니다. 그는 귀국 후에 항상 보고서를 만들었습니다. 마키아벨리는 이 보고서를 바탕으로 다음과 같은 다양한 저서를 집필했습니다.

《로마사론(史論)》

마키아벨리가 쓴 책 중에서 《로마사론》은 《군주론》 다음으로 유명합니다. 《로마사론》은 로마 제국의 전성기 때 활약했던 역사가 리비우스(기원전 59~기원후 17)가 쓴 140권의 《로마사》 중에서 첫 10권에 주석을 붙인 것입니다. 리비우스는 로마 공화정 예찬론자인데, 그는 《로마사》에서 로마의 정치 구조와 공화국의 가능성에 대한 여러 가지 조건 등을 논했습니다.

마키아벨리는 로마의 역사를 주제별로 잘 분류하여 내정 문제와 외교, 군사 정책 등에 대한 자신의 생각과 주장을 담았습니다. 《로마사론》은 정치 현실을 객관적으로 잘 다루었으며 정치의 본질을 밝힌 책으로 마키아벨리가 '근대 정치학의 시조'라는 칭호를 받는 데 큰 역할을 했습니다. 마키아벨리는 《로마사론》의 원고를 1519년 무렵에 마무리했으나 책은 그가 세상을 떠난 후 4년이 지나서야 출간되었습니다.

《피렌체사(史)》

《피렌체사》는 마키아벨리가 피렌체 정부의 위촉을 받아 1523년부터 쓰기 시작하여 1525년에 완성하고 1531년에 출간한 책입니다.

당시 피렌체 정부는 메디치 가문이 운영하고 있었습니다. 마키아벨리는 메디치 가문에 의해 공직에서 쫓겨났으므로 메디치 가문에 패해 원한이 컸습니다. 또한 마키아벨리는 메디치 가문이 하는 전제

정치를 비판적으로 봤습니다. 그런데 메디치 가문을 중심으로 피렌체 역사를 서술하라는 요청을 받았으므로 심적으로 상당히 거부감이 있었을 겁니다. 하지만 만년에 가난에 시달렸던 마키아벨리는 선택의 여지가 없었습니다. 실제로 마키아벨리는 《피렌체사》를 쓰고 받은 돈으로 당장 어려웠던 생계 문제를 해결할 수 있었다고 합니다.

마키아벨리는 《피렌체사》에서 고대로부터 1492년의 로렌초 데 메디치의 죽음까지를 다루었습니다. 8권으로 구성된 방대한 양의 피렌체사는 근대적 역사 서술 방식을 개척한 것으로 큰 평가를 받습니다. 마키아벨리는 과거의 일을 사실에 의존해서 명확히 분석하고 해명하는 새로운 역사 서술의 길을 연 것입니다.

《만드라골라(La Mandragola)》

마키아벨리는 역사책 외에 그 시대의 사회를 풍자하고 세태를 묘사하는 문학 작품을 여러 편 썼습니다. 대표적인 작품이 《만드라골라》라는 희곡입니다. 이 작품은 《군주론》의 유명세에 밀려 세상에 알려지지 않고 있다가 최근에야 알려졌습니다. 일부 비평가들은 《만드라골라》를 두고 이탈리아 최고의 희곡이라는 평가를 할 정도로 완성도가 높습니다. 프랑스의 유명한 문학가인 볼테르는 《만드라골라》가 이전의 이탈리아 희곡들이 갖고 있던 연기와 구성상의 허술함을 극복한 탁월한 작품이라고 높이 평가했습니다. 이를 볼 때 만약에 마키아벨리가 희곡과 같은 문학 작품에만 몰두했다면 영국의 셰익스피어 못지않은 위대한 문학가가 될 수도 있었을 것입니다.

마키아벨리는 《만드라골라》에서 로마 시대 루크레티아를 역설적으로 바꾸어 놓았다. 보티첼리 작 《루크레티아 이야기》(1496~1504)

《만드라골라》는 사랑에 번민하는 청년이 늙고 현학적인 법학 박사의 젊고 아름다운 아내를 가로채려는 욕심을 채우기 위해 우여곡절을 겪는 과정을 다루고 있습니다. 인간은 자기 자신의 이익을 위해 불가피하게 투쟁을 하게 되고, 그 결과 한쪽이 승자가 되고 다른 한쪽은 패자가 될 수밖에 없다는 마키아벨리의 냉엄한 세계관이 잘 드러난 작품입니다.

《만드라골라》는 1520년 로마 교황 레오 10세 앞에서 초연되었습니다. 1522년에 있었던 공연에서 제4막이 끝난 뒤 열광적인 관객들이 밀려드는 바람에 연극을 계속할 수 없을 정도로 인기가 많았다고 합니다.

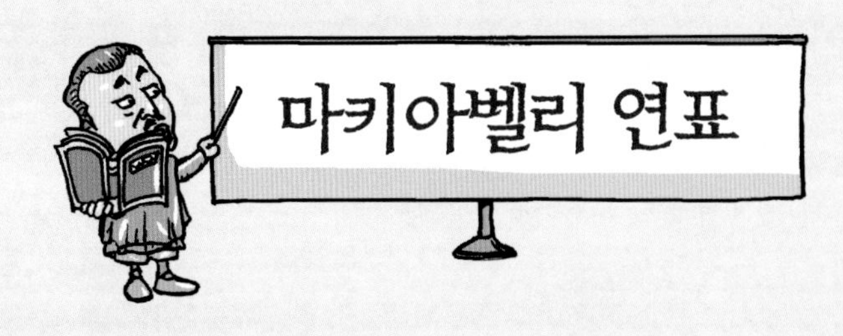
마키아벨리 연표

마키아벨리 연표

연도	주요 사건
1469	5월 3일, 피렌체에서 니콜로 마키아벨리 탄생.
1471	교황 식스토 4세 즉위.
1479	아라곤의 페르난도 2세와 카스티야의 여왕 이사벨의 결혼으로 에스파냐 왕국 성립.
1481	마키아벨리, 동생과 함께 당시 저명한 교사인 파올로 다 론칠리오네에게 교육 받기 시작.
1484	식스토 4세 선종(사망). 이노켄티우스 8세 교황 즉위.
1491	도미니크회의 수도사인 지롤라모 사보나롤라, 성마르코수도원장이 된 후 각종 개혁으로 시민들의 인기를 얻음.
1492	메디치 가의 수장인 로렌초 데 메디치 사망. 장남인 피에로 메디치가 피렌체의 지도자가 됨. 알렉산데르 6세가 교황에 즉위. 콜럼버스, 아메리카 대륙 발견.
1494	프랑스의 샤를 8세가 이탈리아 침공. 11월, 프랑스 군의 침공으로 메디치 가문은 피렌체에서 쫓겨남.
1498	마키아벨리, 피렌체 공화국의 서기관이 됨. 이후 약 14년 동안 내무, 병무, 외교 등의 일을 두루 맡게 됨. 지롤라모 사보나롤라가 이단 혐의로 처형당함. 포르투갈 출신의 바스코 다 가마, 인도 항로 개척.
1502	마키아벨리, 외교 사절로 훗날 《군주론》의 모델인 된 체사레 보르자를 만남.
1503	율리오 2세, 교황에 즉위.

군주국
군주국

연도	주요 사건
1509	마키아벨리, 민병대를 지휘하여 반란을 일으킨 피사 함락.
1512	스페인 군이 피렌체 점령. 피렌체는 다시 메디치 가문에서 통치.
1513	마키아벨리, 메디치 가를 노린 음모에 가담했다는 혐의로 고문당하고 투옥됨. 석방된 뒤 산트 안드레아에 칩거. 레오 10세가 교황에 즉위. 마키아벨리, 《군주론》과 《로마사론》 집필 시작.
1515	마키아벨리, 《벨파고르》 출간.
1517	마키아벨리, 《안드리아》 출간. 마르틴 루터, 교황청의 면죄부 판매에 반대하며 〈95개조 반박문〉 제출.
1518	마키아벨리, 《만드라골라》 출간.
1519	마젤란, 세계 일주.
1522	하드리아누스 6세, 교황에 즉위.
1523	마키아벨리, 메디치 가의 의뢰로 《피렌체사》 집필 시작. 메디치 가문 출신의 클레멘스 7세가 교황에 즉위.
1527	6월 21일, 마키아벨리 사망.
1532	《군주론》 출간.
1559	교황청에 의해 《군주론》 금서로 지정.

나
법률
군대

마키아벨리 군주론

손영운 글 | 동방광석 그림

01 《군주론》을 쓴 마키아벨리는 어느 나라 사람일까요?
① 프랑스 ② 영국 ③ 이탈리아
④ 그리스 ⑤ 미국

02 '마키아벨리즘'이라는 말의 의미는 무엇일까요?
① 목적을 이루기 위해서는 수단과 방법을 가리지 않는 것
② 물건을 공짜로 손에 넣는 것
③ 힘으로 상대방을 쓰러뜨리는 것
④ 거짓말하는 것
⑤ 구걸하는 것

03 마키아벨리가 《군주론》을 쓰면서 모범으로 삼은 사람은 누구일까요?
① 알렉산드로스 대왕 ② 미켈란젤로 ③ 단테
④ 나폴레옹 ⑤ 체사레 보르자

04 마키아벨리는 정치를 '(　　)을 차지하기 위한 싸움'이라고 보았습니다. 괄호 안에 들어갈 말은 무엇일까요?
① 돈 ② 땅 ③ 명예 ④ 권력 ⑤ 보석

05 마키아벨리는 정치를 하는 데는 '사자의 방법과 (   )의 방법이 필요하다.'고 했습니다. 괄호 안에 들어갈 말은 무엇일까요?

① 호랑이 ② 여우 ③ 늑대 ④ 너구리 ⑤ 뱀

06 다음 중 군주가 멸시를 당하게 되는 경우가 아닌 것을 고르세요.

① 변덕이 심하다 ② 경솔하다 ③ 우유부단하다
④ 겁이 많다 ⑤ 무자비하다

07 돈을 받고 대신 전쟁에 참여하는 군인을 무엇이라고 할까요?

____

08 다음 괄호 안에 공통으로 들어갈 말을 쓰세요.

- 궁정에는 (   )꾼들이 가득 차 있다.
- 마키아벨리는 (   )을 질병으로 부르면서 군주가 이 질병으로부터 자신을 지키는 것이 참으로 어렵다고 말했다.

____

09 다음 괄호 안에 들어갈 말은 무엇일까요?

(　　　　　)을 가진 예언자는 모두 성공하지만, 말뿐인 예언자는 실패한다.

---

10 책에 '절대 권력은 절대 부패한다.'는 말이 나옵니다. 이 말의 의미를 설명해 보세요.

목적이 수단을 정당화한다?

마키아벨리의 이름에서 파생된 단어인 '마키아벨리즘(Machiavellism)'을 알고 있나요? 마키아벨리즘의 사전적 의미는 '국가의 유지, 발전을 위해서는 어떠한 수단이나 방법도 허용된다는 국가 지상주의적 정치사상'입니다. 한마디로 목적을 달성하기 위해서는 나쁜 수단이라도 사용할 수 있다는 것이죠.

실제로 마키아벨리의 《군주론》에서 제시한 바람직한 군주는 시민 위에 군림하는 냉혹한 지배자의 모습입니다. 또한 군주는 사랑과 두려움을 모두 받아야 좋지만 그중에 굳이 하나만 선택해야 한다면 사랑보다 두려움을 택해야 한다는 다소 부도덕한 제안도 있지요.

이러한 마키아벨리의 제안은 정말로 목적을 위해 수단과 방법을 가리지 말라는 의미로 읽히기도 합니다. 하지만 《군주론》이 쓰인 상황을 생각해 보면 그건 오해임을 알 수 있습니다.

마키아벨리는 피렌체의 공화정이 붕괴되면서 힘의 공백이 발생한 상황에, 혼란에 빠진 피렌체 시민들을 바라보며 군주의 역할은 도대체 무엇일까를 생각하고 《군주론》을 썼습니다. 혼란한 상황에서 군주는 불가피하게 착하지 않을 수도 있다는, 상황에 대한 숙고가 있었던 것입니다.

군주가 좋은 수단을 써서 좋은 목적을 이루는 게 가장 바람직하지만 그렇게 할 수 없는 상황이라면 나쁜 수단을 썼다고 탓하기보다는, 오히려 그런 수단을 통해서나마 좋은 목적을 이뤘느냐를 따지는 게 더 합리적이라는 것이 마키아벨리의 주장입니다.

정답

01 ③ / 02 ① / 03 ⑤ / 04 ④ / 05 ② / 06 ⑤ / 07 용병 / 08 아첨 / 09 군사력

10 절대 권력을 가진 자는 아첨꾼들에 둘러싸여 잘못된 정보만 듣게 돼, 올바른 판단을 내릴 수 없습니다.